성령과 함께하는

역동적인 능력기도

28일간의 여정

로자리오 피카도 · 수 닐슨 키비 지음
전 석 재 옮김

The Forest Books

성령과 함께하는

역동적인 능력기도

28 일 간의 여정

ISBN 단행본 : 978-1-953495-36-5, eBook 978-1-953495-37-2

 22·23·24·25·26·27·28·29·30 31-10987654321 미국에서 제조됨

[목차]

둘째 주: 성령의 임재

셋째 주: 성령의 힘

넷째 주: 성령: 우리의 태도

저자(Rosario Picardo) 서문

예기치 않은 코로나19 팬데믹이 시작하기 바로 직전인 2020년으로 기억된다. 당시 제가 봉직하고 있던 오하이오 데이턴에 있는 연합신학대학원은 갈림길에 서 있었다. 학교가 미래 성장을 위한 새로운 다음 단계로 나아가기 위한 전략적 계획 수련회 일정을 잡기로 했다.

이번 수련회는 이사회, 교수, 교직원, 동문 및 재학생이 참석하는 대규모 행사로 계획되었다. 이 모임에 진행자는 나의 좋은 친구이며 동역자인 수(Sue Nilson Kibbey) 목사였다.

수(Sue) 목사는 토론과 대화를 잘 인도하고, 리더 그룹을 이끄는 데 탁월하다. 하지만, 수(Sue)는 다른 리더들과 다른 점은 그녀는 열정을 가지고 있다. 돌파 기도에 집중하고 있다. 나는 그녀가 진행 중인 "돌파기도 계획"을 통합하여, 이미 내가 섬기는 교회에서 돌파기도 훈련을 시행하고 있다.

교회 구성원이 함께하여 매일 특정한 시간에, 새로운 가능성을 가진 새 장(doors)을 열어달라고 하나님께 세밀한 기도를 하고 있다. 성령께서 기도에 응답하여 기적을 일으키시는 것을 경험하였다. 당연히 하나님은 돌파 기도를 좋아한다.

같은 방식으로 수(Sue)는 *United*의 수련회 참석자들에게 수련회 전 6주 동안 매일 짧은 돌파 기도를 제안하였다. 이 중요한 수련회 모임에서 우리의 마음과 생각과 영으로 준비하여 새로운 가능성을 보여달라고 하나님께 간구할 것을 제안했다. 우리 공동체는 매일 함께 기도하며, 우리의 생각이 아니라 하나님의 계획을 보여 달라고 간구했다.

어떤 일이 일어났을까? *United*의 교목실장으로서, 나는 수(Sue)와 긴밀히 협력하여 우리가 함께 기도할 수 있는 시간에 맞는 적절한 성경 구절을 찾았다.

주님은 우리에게 디모데후서 1장 7절을 말씀하였다.

"하나님이 우리에게 주신 것은 두려워하는 마음이 아니요. 오직 능력과 사랑과 근신하는 마음의 영이니"(NKJV). 주님께서 공동체가 집중하기를 원하셨던 것을 구체적으로 말씀하셨다. 즉 "능력"이라는 단어에 집중하였다.

수(Sue)는 신약성경의 헬라어 *dunamis*로 기록된 단어의 의미가 영어 단어 *dynamite*를 의미한다고 설명하였다.

*dunamis*는 "오직 하나님만이 우리 가운데, 그리고 우리를 통해서 허락하시는 초자연적인 능력"으로 설명하고 있다. 신약성경 전체에서 우리에게 보이고 있다.

성경에 따르면, 예수가 십자가 죽음에서 부활한 것이 하나님의 두나미스 능력이었다. 사실상 헬라어 단어 "두나미스"는 마태복음부터 요한계시록에 이르기까지 120회 이상 사용되었다.

전략계획 수련회 전 6주간 매일 짧은 기도에 참여하였다. 우리는 연합신학대학원에 새로운 비전과 가능성을 열어 달라고 하나님께 간구하였다. 그리고 하나님의 음성에 귀를 기울였다. 믿기 어려운 일이 일어났다.

수련회 하루 반쯤 지난 후, 우리가 6주간 돌파기도 기간을 통해서 하나님의 음성을 들은 것을 나누었다. 학교에 대한 500개 이상의 서로 다른 잠재적인 비전이 명명되었다.

예를 들어, 하나님께서 우리에게 분명하게 말씀하신 비전 중 하나는 "연합신학대학원이 새로운 파트너십을 개발" 해야 한다는 것이었다. 공동체 멤버들이 수련회 이후 몇 달 동안 계속해서 기도하면서, 연합신학대학원 전체가 놀라운 비전 리더들 및 새로운 조직과 협력할 수 있는 파트너십 기회를 얻게 되었다. 그리고 새로운 파트너십을 위한 기관과 조직 이 참여하는 것을 경험하고 놀랐다.

생각해 보면, 참석한 분들은 수련회가 영적으로 중요한 역할과 학교의 놀라운 새로운 동력에 큰 영향을 미쳤다는 것을 발견하였다.

연합신학대학원 공동체는 그 모든 것이 기도로 시작되었다는 것을 기억한다. 우리는 하나님의 기적인 두나미스 능력을 믿고 의지하였다.

이 헌신을 위한 우리의 기도와 소망은 다음과 같다.

"하나님은 새로운 길을 만드신다. 전에 볼 수 없었던 하나님의 임재를 경험하게 될 것이다. 그리고 여러분은 하나님의 그릇으로 불타오르게 될 것이다. 성령의 능력으로 새롭게 인도될 것이다."

돌파 기도를 계속하는 동안, 연합신학대학원에서 무슨 일이 일어났는지 알아보려면, 이 책의 끝부분에 나오는 *United Theological Seminary* 총장, 켄트 밀러(Kent Millard) 박사의 후기를 읽어 보기 바란다.

로자리오 피카도 (Rosario Picardo)

2021년 12월

역자 서문

코로나 팬데믹 이후에 한국교회는 영적 능력과 갱신이 절실히 요청되고 있다. 세계교회 상황과 국내 교회 환경의 어려움은 새로운 변화를 기대하며 요구하고 있다. 이러한 어려움과 새로운 변화를 일으키는 동력은 성령의 능력이 함께 하는 강력한 기도의 힘이라고 생각한다.

로자리오(Rosario)와 수(Sue) 목사가 28일간의 여정과 실험으로 집필한 *Dynamite Prayer*는 한국교회와 성도들에게 강력한 기도의 도전을 주는 책이라 생각했다.

한국교회가 기도의 능력을 회복하는 길은 무엇일까?
성도들에게 역동적인 능력기도를 어떻게 도와줄 수 있을까?

이 질문의 구체적인 해답과 방향을 제시한 책이 로자리오 박사와 수 목사의 『역동적인 능력기도』(*Dynamite Prayer*)이다. 2023년 여름 *D. Min intensive* 박사과정에서 *Dynamite Prayer* 책을 접하고 가슴이 뛰었다. 그리고 오랜 친구이며, 동역자인 로자리오(Rosario) 박사와 수(Sue) 목사를 만났다.

*Dynamite Prayer*를 한국어로 번역하고 싶다는 말에 두 친구

는 엄청나게 기뻐하며 격려해 주었다. 한국에 귀국하여 "28일간의 기도의 여정"이라는 부제에 맞게 매일 아침저녁으로 번역하면서 기도의 깊이와 넓이를 경험하였다. 무엇보다 기도의 힘과 능력을 배우며, 깊이 말씀 묵상하고 풍성함을 누리었다.

*Dynamite Prayer*를 오랜 고민 끝에 『성령과 함께하는 역동적인 능력기도』로 번역하여 제목을 명명하였다.

『성령과 함께하는 역동적인 능력기도』는 기도를 회복하기를 원하는 지역 교회 목사, 선교사, 성도들에게 28일간의 기도의 실험을 통하여 기도의 능력회복, 성령의 폭발적인 두나미스 능력을 제공해 준다는 확신을 가졌다.

『성령과 함께하는 역동적인 능력기도』발간으로 "기도의 능력"이 한국교회에 폭발적으로 나타나기를 기대해 본다.

본서는 **첫째 주 성령의 영향력; 둘째 주 성령의 임재; 셋째 주 성령의 힘; 넷째 주 성령: 우리의 태도**로 매주 7일 동안 묵상하고 실천하는 말씀들로 구성되었다.

『성령과 함께하는 역동적인 능력기도』 발간으로 한국교회가 기도의 능력을 회복하기 위한 실천과 여정이 되기를 간절히 열망한다. *Dynamite Prayer*가 번역되기까지 하나님의 인도하심과 선하심이 함께 하셨다. 이 모든 영광을 하나님께 올려 드린다.

무엇보다 로자리오(ROSARIO) 박사와 수(Sue) 목사의 배려와 *United Theological Seminary*의 켄트(Kent Millard) 총장의 격려를 잊을 수 없다. 기쁜 마음으로 추천사를 작성해 주신 만나 교회 김병삼 목사님, 신촌성결교회 박노훈 목사님, 가양 감리교회 전석범 목사님, 서원경교회 황순환 목사님께 진심으로 감사드린다.

번역을 맡아서 출판한 The Forest Books와 전성인 대표께 진심으로 고마운 마음을 표한다. 편집과 교정을 맡아 애써주신 최득원 장로님과 손애경 선생님께 성심을 다해 감사드리며, 번역을 위해 도움을 준 이원근 선교사님께 감사의 마음을 전한다.

마지막으로 역서가 나오기까지 함께 도움을 주고, 기도하며 격려해 준 사랑하는 아내 신윤선과 아들 성인, 성준과 함께 기쁨을 나누고 싶다.

2023년 9월

전 석 재 박사

한국선교신학회 14대 회장 및 편집위원장

미국 *United Theological Seminary* 한국프로그램 디렉터

선교학 교수

28일간의 기도 여정을 시작하며

"돌파기도"란 무엇입니까?

여러분이 예수 그리스도를 따르고자 한다면, 주님의 인도함을 받기 위해 성령의 음성을 의도적으로 배우고 듣는 시간을 최고로 우선순위로 놓아야 합니다.

그렇지 않으면, 여러분은 매일 가장 좋은 길을 어떻게 선택할 것인지, 그리고 그 결정과 선택이 여러분 안에서, 하나님의 목적을 이루는 길을 스스로 선택하고, 결정하게 될 것입니다. 아마도 성령의 음성을 듣지 않으면, 여러분은 모든 순간과 잠재력의 가능성의 새로운 장을 여는 하나님께서 여러분을 위해 준비하신 풍성한 은혜를 누리며 살아가는 것을 놓치게 될 것입니다. 능력(Dunamis)은 "하나님의 성령을 통한 부활 능력"을 뜻하는 신약성경 헬라어 원어입니다. 본 저서를 통해서 여러분이 배우기를 바라는 핵심 내용입니다.

우리가 기도할 때, 하나님의 성령이 우리의 생활과 세상을 뚫고 변화시켜 주시기를 구하는 것입니다. 사실상, 영어 단어 "능력 (dynamite)"은 헬라어 단어에서 유래되었습니다.

많은 신실한 그리스도인들은 정기적으로 성경을 읽고, 말씀을 묵상하며 삶으로 적용하는 좋은 습관을 지니고 있습니다. 많은 그리스도인은 사랑하는 사람과 자기 자신을 위해 치유하고, 위로하고, 보호하고, 공급하고, 축복해 달라고 하나님께 간절히 기도합니다. 하지만 아직도 많은 그리스도인은 기도를 더 깊이 이해하고, 기도가 더 큰 영향력을 미치기를 기대합니다.

이 책의 목적은 28일 동안 돌파 기도의 여정을 우리에게 소개하는 것입니다. 여러분은 세상에서 하나님의 능력에 참여하여 활동하는 일부가 되어야 합니다. 여러분을 향한 하나님의 넘치는 풍성함 속에서 하루하루를 살아가야 합니다. 이러한 경험의 핵심은 우리의 삶 속에서 무슨 일이 일어나는지 살펴보는 것입니다. 이것은 매일 반복적인 기도의 실천입니다. 우리는 이것을 "돌파기도"라고 부릅니다. 장애물을 돌파시킬 수 있는 하나님의 새로운 비전과 가능성을 구하고, 전능하신 하나님께서 새로운 장을 열어가도록 요청하는 것입니다. 하나님께서 펼쳐 나가기를 소망하는 모든 것을 위해서, 현재 우리의 모든 것을 내려놓는 것을 약속해야 합니다.

그렇게 하면 여러분을 진정 기적으로 인도하며, 새로운 믿음의 길을 보여주실 것입니다. 그리고 하나님이 주시는 새로운 영적 분별력을 갖게 될 것입니다.

성령께서 항상 여러분의 기도에 풍성히 응답을 주실 것입니다. 우리 길과 방법에서 자신의 우선순위나 의견이 앞서 있을 때도, 여러분이 기도 후에 여러분이 놓치고 있는 그것까지 성령의 능력으로 우리 가운데 가득 차게 제공해 주실 것입니다.

우리의 기도 시간이 끝났을 때, 여러분은 모든 것이 끝났다고 가정하지 마시기를 바랍니다. 확실하게 여러분이 기도로 하루를 시작하시기를 바랍니다. 이제 여러분이 기도한 후, 어떤 길과 방법이든 순간마다 여러분이 성령을 기대하는 마음으로 계속해서 받아들이십시오. 그리고 여러분을 향한 하나님의 응답과 인도함을 알아차리고, 순종하며 준비하십시오.

가이드북 사용방법

역동적인 능력기도 묵상집은 여러분이 그리스도를 따르는 하루의 일상생활에서 하나님께 순종하는 돌파기도 실천을 시작하도록 도와주고 있습니다. 우리가 분별하고 이해하고, 하나님의 인도하심에 응답하고, 성령의 기적적인 능력으로 살아가게 하는 것입니다.

매일의 항목은 다섯 가지 주요 키워드로 분류합니다.

- 하나님의 능력(dunamis)을 강조하는 **성경 읽기**
- 성령의 독특한 영역에 대한 **영적인 통찰력**
- 자신의 솔직하고 진실 된 반영, 성찰, 여정, 혹은 다른 사람과의 토론을 **신속히 돕도록 안내**
- 하루 종일 하나님을 향해 묵상하고, 우리의 생각과 마음을 유지하는 돌파기도를 드릴 수 있는 **장소의 필요**
- 우리는 “기도 - 붙잡기”라고 명명을 한 짧은 **돌파기도 설명** 역사적으로 기독교 **신앙 전반에 걸쳐 실행된 기도 스타일**

매일의 묵상이 끝날 때마다, 우리는 하나님 성령의 활동과 능력의 힘에 대하여 예수그리스도 안에 있는 자매나 형제로부터 영감을 나눌 수 있습니다.

"기도 - 붙잡기"에 대하여: 기도 - 붙잡기는 하루 종일 묵상할 때 사용할 수 있는 성경 구절의 짧은 문구 또는 단어입니다. 매 시간 (또는 자신이 부정확, 불확실하다고 생각할 때, 영적 생활에서 벗어나고 싶은 유혹을 경험할 때마다) 하루의 기도 - 붙잡기를 짧게 할 수 있습니다. 이는 성령의 역사, 성령의 활동과 인도함을 분별하고 따르는 데 도움을 줍니다. 또한 영적인 안목을 다시 집중하고 재정리하는 데 도움이 됩니다.

짧은 성경 말씀에 기초한 "기도 - 붙잡기"의 사례는 다음과 같습니다.

하나님은 신실하십니다.

데살로니가전서 5장 24절(CEB): "너희를 부르시는 이는 미쁘시니 그가 또한 이루시리라."
"나보다 높은 바위에 나를 인도하소서" 시편 61편 2절
또는 성경에서 한 단어로 기도하는 것도 도움이 됩니다. 다음은 이러한 예(example) 가운데 하나입니다:

마치다.

빌립보서 1:6(CEB):
"너희 안에 착한 일을 시작하신 이가 그리스도 예수의
날까지 이루실 줄을 우리는 확신하노라."

하루에 "기도-붙잡기"를 사용하여, 최상으로 도울 수 있는 일정들, 식사 시간, 자투리 시간, 편리한 순간에 기도하고, 재집중하며, 멈춤 등을 노트에 기록해야 합니다. 그리고 핸드폰에 기억하게 만들어 놓아야 합니다.

28일 능력기도 가이드북을 실천하십시오. 이후에 여러분의 재충전을 위해서 다시 볼 수 있는 참고자료가 되기를 바랍니다.

가이드북은 그룹용으로도 제작되었습니다. 28일 능력기도 실험을 진행 중인 다른 사람들과 공유하십시오. 그 과정에서 함께 토론하고, 공유하고, 격려하고, 기도할 영적 파트너를 갖게 될 것입니다. 여러분은 함께 공유하여 격려할 수 있습니다.

돌파 기도와 영적 성장을 함께하는 교회 공동체는, 28일 능력기도 실험의 기초로 가이드북을 여러분의 교회에서 사용할 수 있습니다. 목사님은 이 책의 능력기도의 내용을 중심으로 4주간 시리즈 설교를 할 수 있습니다. 이것은 엄청난 영적 추진력을 만들어 낼 것입니다.

마지막으로, 매일 기도할 때 - 하나님의 초자연적인 능력, 그리스도 부활의 힘 - 여러분의 장애물을 뚫고 나가고, 여러분을 영적으로 가득 채우고, 여러분이 구하고, 생각하고, 상상하는 것 이상으로 크고 더 넘치도록 능히 하실 이가 인도하실 것입니다(엡3:20).

이제 기도 실험을 시작하십시오.

첫째 주

성령의 영향력

1일차: 덮으심

"천사가 대답하여 이르되 성령이 네게 임하시고,
지극히 높으신 이의 능력이 너를 덮으시리니
이러므로 나실 바 거룩한 이는 하나님의 아들이라 일컬어지리라."
(누가복음 1:35)

통찰력

오늘 성경구절 이야기는, 동정녀 탄생과 성육신(Incarnation) 사건이 역사적으로 시대를 초월한 연관성을 갖고 있다고 설명하고 있습니다. 이유는 본문에서 우리가 하나님의 기적인 "새로운 창조의 탄생"에 순종할 때 어떤 일이 일어나는지를 잘 보여주기 때문입니다. 우리의 제한된 생각과 모습에서는 하나님이 인간이 되시고, 성령께서 마리아에게 아이(예수)를 잉태하도록 도우신다는 것을 이해하기 어렵습니다. 누가는 천사가 마리아에게 전한 메시지에 따르면 "지극히 높으신 분의 능력(두나미스)이 너를 덮으시기" 때문에 마리아가 이해할 수 없는 기적이 일어날 것이라고 기록하였습니다.

"마리아가 이르되 주의 여종이오니 말씀대로 내게 이루어지이다."(누가복음 1:38)라고 대답하며 순종하였습니다.

오늘날 우리 사회에서 "덮으심(overshadow)"이라는 단어는 굴종이나 세상의 관심에서 소외된다는 부정적인 의미를 담고 있습니다. 그러나 누가는 헬라어의 기록에서 이해를 돕기 위해 영어로 번역된 단어 "덮으심"을 신약성경에서 다섯 번만 사용하고 있습니다. 그것은 "빛나는 구름, 주변 및 밝기로 감싸는 것"으로 설명하고 있습니다. 여기서 "덮으심(Overshadow)"은 구약에서 하나님의 백성이 낮에는 밝은 구름 기둥과 밤에는 불기둥과 같은 생생한 기둥의 인도 받음을 의미합니다. 이것은 본질적으로 하나님의 즉각적인 임재와 능력을 나타내고 있습니다.

성령의 능력과 임재의 기적적이고 창조적인 광채로 새롭게 나타나는 하나님, 그리고 성령의 덮으심을 기대해 보십시오. 여러분은 자신의 계획과 우선권을 기꺼이 포기하고, 마리아와 같이 순종의 장을 만들고, 성령의 덮으심을 받아들이겠습니까?

즉각적인 적용

여러분은 즉각적인 영적 순종에 편안한 마음입니까? 아니면 불편한 마음입니까? 성령의 "덮으심"을 받을 수 있는 마음을 갖기 위해서 이 순간 무엇을 하나님께 순종해야 한다고 생각하십니까? 여기에 작성해 주세요.

오늘 나의 돌파기도

하나님, 성령의 능력이 내 마음과 생각, 그리고 뜻과 해야 할 것들을 덮으소서. 그리고 나를 통해서 내 주변을 덮어서 내가 새롭게 변화되기를 원합니다. 아멘.
자신만의 돌파 기도를 작성해 보세요.

기도 - 붙잡기 (오늘 하루 기도하기)

하나님, 나를 덮으시옵소서.
[오늘 여러분에게 가장 필요한 부분을 기도 문장으로 채워보세요]

평범한 것에서 위대한 것으로 나아가려면,
하나님의 사랑이 우리를 덮으셔야 합니다.
- 캘리 피카도(Callie Picardo)

2일차: 광야

"예수께서 성령의 능력 (두나미스)으로 갈릴리에 돌아가시니
그의 소문이 온 사방에 퍼졌고"
(누가복음 4:14)

통찰력

산꼭대기보다 광야, 사막, 인생의 계곡 같은 곳에서 더 많은 경험을 하셨습니까? 산 정상의 경험은 최고의 기념비적입니다. 여러분은 세상의 정상에 있다고 생각하고 있습니까? 아마도 여러분의 삶에서 교회 부흥회나 수련회에 참석하거나, 교회 예배에 참석하여 산꼭대기와 같은 정상의 영적인 순간을 경험했을 것입니다.

하지만 때로는 인생의 정상보다 깊은 계곡에서 더 많은 것을 경험할 때도 있습니다. "계곡"은 무너지고 모든 것이 손상되고 벗겨지는 때를 설명합니다. 인생의 계곡은 어려움을 겪은 만큼 또한 신성(sacred)하기도 합니다. 계곡은 자신의 부족함과 연약함을 깊이 생각하고 반성하는 시기입니다. 그 순간 여러분은 모든 것을 할 수 없고 연약합니다. 그래서 하나님의 구원과 은혜

와 능력이 절실히 필요하다는 것을 깨닫게 됩니다.

여러분의 인생 계곡을 생각해 보십시오. 인생의 계곡을 기억하면, 이제 하나님의 도움이 어떻게 여러분에게 역사하였는지 깨닫게 될 것입니다. 이것이 하나님의 두나미스 능력의 힘입니다. 오늘 본문 말씀에서 예수님께서는 광야에서 40일 동안 외롭게 지내시면서, 자기 육체의 욕구를 참아내 시고, 배고프고, 지치시며, 마귀에게 극심한 시험을 받으셨습니다. 예수님께서 유혹을 이기신 후, 마침내 준비를 마치시고 그의 공생애를 시작하셨습니다. 예수님은 “성령의 능력”으로 마귀의 시험을 이기셨습니다. 좀 더 구체적으로 말하면, 예수님은 쉬운 길을 선택하지 않으셨습니다. 두나미스의 부활 - 강한 힘이 예수님께 임했습니다. 예수님은 갈릴리로 돌아오셨을 때, 새로운 기적적인 성령의 임재와 권능을 받으셨습니다.

진정한 힘은 단순히 긍정적인 사고의 힘이나 우리 자신의 능력에서 나오는 것이 아닙니다. 기적적인 능력과 성령의 힘은 하나님께서 여러분을 위해 최상의 미래를 준비하셨습니다. 여러분이 “예(yes)”라고 순종을 하고, 쉬운 길을 포기할 때 부어 주십니다.

즉각적인 적용

지금 여러분은 어떤 시험에 직면해 있습니까? 하나님의 성령의 능력이 흘러가기 위해서 당신은 어떤 선택을 해야 한다고 생각하십니까? 여기에 작성해 보세요.

오늘 나의 돌파기도

하나님! 당신이 최고의 선을 이루기 위해서, 모든 선택에서 성령의 능력으로 돌파하게 하옵소서. 아멘.
자신만의 돌파기도를 작성해 보세요.

기도 – 붙잡기 (오늘 하루 기도하기)

하나님, 성령의 능력 아래에서 하나님의 미래에 대해 '예(Yes)'라고 고백합니다.

한결같은 기도의 가치는 하나님이 우리의 말을 들으시는 것이
아니라 하나님의 말씀을 우리가 듣는 것입니다.
– 윌리엄 J. 맥길(William J. McGill)

3일차: 보내심

"예수께서 열두 제자를 불러 모으사 모든 귀신을 제어하며,
병을 고치는 능력과 권위를 주시고, 하나님의 나라를
전파하며 앓는 자를 고치게 하려고 내보내시며"
(누가복음 9:1~2)

통찰력

예수님은 광야에서 시험을 받으신 후, 섬기고, 사역하고, 치유할 수 있는 하나님의 두나미스로 권능을 받아 3년 동안 사역을 시작하셨습니다. 마찬가지로, 예수님은 그의 제자들을 선택하여 파송하셨습니다. 예수님은 제자들을 보내실 때 선교와 봉사를 위해서 제자들에게 동일한 두나미스 능력으로 축복하셨습니다.

예수님은 제자들에게 그의 지시에 따라 행동하고 봉사할 책임과 권위를 주어서 파송하셨습니다. 제자들에게 부어주신 초자연적인 능력은 그들이 예수님의 부활 후 사도행전 2장, 오순절에 경험하게 될 일을 미리 체험한 것이었습니다.

우리는 예수님의 제자로서 죽음으로부터 다시 사신 그리스도의 성령을 통해서 동일한 능력으로 보냄을 받았습니다. 그리고 여러분 역시 예수그리스도를 대신하여 다른 사람들의 필요를 채

우기 위해서, 매일매일 전진하면서 하나님의 능력의 권위 아래 살아가야 합니다.

그리스도인들은 종종 자기 유익을 위하여 물질적 이익이나 재정적 이익을 바라며 하나님의 축복을 바라고 있습니다. 심지어 자기 유익만을 위해 기도하기까지 합니다. 그러나 예수님의 제자가 받은 기적적인 성령의 자원은 개인의 유익만을 위해 쌓아두는 것이 아닙니다. 하나님의 선을 위해 모든 것을 활용해야 하는 책임이 있습니다. 이것을 어떻게 생각하십니까? 하나님의 권위 아래 책임감 있는 삶의 모습은 무엇입니까?

불확실한 시대에 두나미스 영감의 방향 지시를 받으십시오. 여러분이 시험에 직면할 때 성령의 보호하심을 제공받으십시오. 성령과 함께 능력기도를 통해서 하나님의 권위 아래에 책임감 있는 삶의 모습을 이루십시오.

예수님을 따르는 삶은 부와 명성, 지식, 축복을 추구하는 것 그 이상입니다. 열두 제자처럼 성령의 두나미스 능력을 받고, 하나님의 권위와 명령에 순종적으로 생활하십시오. 여러분이 구하고 생각하고 상상하는 것 그 이상의 큰 성취를 가져다줄 것입니다.

즉각적인 적용

여러분은 누구의 권위 아래 살고 행동하고 있습니까? 여러분은 여러분 자신의 것입니까? 혹은 다른 사람의 것입니까? 아니면 하나님의 것입니까? 오늘 하나님께서 주신 성령의 능력의 권위를 여러분이 근간으로 삼기 위해 무엇을 깊이 생각하십니까?
여기에 작성해 보세요.

오늘 나의 돌파기도

하나님, 성령께서 이기적인 습관이나 두려움을 깨뜨리시고, 오늘 성령의 능력과 권위의 통로가 되게 도와주십시오! 아멘.
자신만의 돌파 기도를 작성해 보세요.

기도 - 붙잡기 (오늘 하루 기도하기)

하나님의 능력과 권위로 보내심을 받았습니다.

우리는 마음의 제단을 위하여 생활의 제단을 쌓아야 합니다. 왜냐하면 한 가지 방식으로 살면서 다른 방식으로 기도하는 것은 불가능하기 때문입니다.
- 윌리엄 로(William Law)

4일차: 불신앙

"고향으로 돌아가사 그들의 회당에서 가르치시니
그들이 놀라 이르되 이 사람의 이 지혜와 이런 능력이 어디서
났느냐 이는 그 목수의 아들이 아니냐 그 어머니는 마리아,
그 형제들은 야고보, 요셉, 시몬, 유다라 하지 않느냐
그 누이들은 다 우리와 함께 있지 아니하냐
그런즉 이 사람의 모든 것이 어디서 났느냐 하고
예수를 배척한지라 예수께서 그들에게 말씀하시되
선지자가 자기 고향과 자기 집 외에서는 존경을 받지 않음이
없느니라 하시고 그들이 믿지 않음으로 말미암아
거기서 많은 능력을 행하지 아니하시니라"
(마태복음 13:54~58)

통찰력

"이것은 항상 그래왔고 절대 변하지 않을 방식입니다." 여러분은 가족, 친구, 동료에게서 비슷한 태도를 경험한 적이 있습니까? 심지어 우리 자신에게서도 이런 태도를 발견한 적이 있습니까?

더 나은 변화를 위한 우리의 가설은 비록 간절히 바라더라도 불가능합니다. 그것은 하나님이 계획하신 새로운 잠재적 능력을 방해합니다.

예수님은 초기 사역 중에 하나님 나라의 좋은 소식을 전파하고 가르치기 위해 고향으로 돌아왔습니다. 하지만 고향에서 환영받지 못하였습니다. 예수님께서 어려운 시험을 광야에서 받으며 40일을 보냈습니다. 그는 쉬운 길을 선택하지 않았습니다. 이후에 예수님은 새로운 기적적인 사역을 이끌어 가기 위해, 고향으로 와서 성령의 사역을 하셨습니다. 하지만 이전에 예수님을 알았던 사람들은 믿음의 눈으로 예수님을 보는 것을 거부했습니다. 대신 그들은 예수님에 대하여 불신앙을 가졌습니다.

그 결과, 오늘 본문은 예수님을 통해 흘러나오는 부활의 두나미스 능력이 그들에게 나타나지 않은 것을 볼 수 있습니다. 원래 헬라어 단어로 번역된 이 구절에서 영어 "불신앙"은 문자 그대로 "신앙 없음, 불신앙" 즉 약속의 하나님에 대한 신뢰의 부족을 의미합니다.

하나님의 능력에 대한 신뢰를 막는 것은 불가능합니다. 그러나 여러분 자신은 어떻습니까? 성령의 초자연적인 능력에 대한 계속된 믿음으로 충만한 확신을 가지고 살아가고 있습니까?

성령의 초자연적 능력의 기도 생활을 통해서 여러분 안에서 그리고 여러분을 통해서 성령이 계속 흘러가는 통로를 만들어 가야 합니다. "무엇이 존재하는가?"에 대한 어떤 불신앙을 경계하십시오. 대신에 하나님의 변화에 갈망하는 잠재력을 가진 모든 사람과 함께 선택하십시오. 예수님께서 죽음에서 부활하신 그 능력은 지금도 계속 살아있고 활동하고 역사하고 계십니다.

즉각적인 적용

자신을 솔직하게 평가해 보세요. 여러분은 자신과 주변 사람들, 현재 상황에서 하나님의 능력을 제한하는 신앙의 모습을 가지셨습니까? 그리고 전반적인 일상생활에서 불신앙의 태도를 가지고 있습니까? 여러분의 불신앙이 성령이 원하는 사역을 제한한 적이 있습니까? 여기에 작성해 주세요.

오늘 나의 돌파기도

하나님, 성령의 능력으로 저의 불신앙 관점을 가능성의 시야로 바꾸어 주시기를 원합니다. 아멘.
자신만의 돌파 기도를 작성해 보세요.

기도 – 붙잡기 (오늘 하루 기도하기)

새로운 영적인 시야...

기도는 모든 빗장을 부수고, 모든 사슬을 풀고, 모든 감옥을 열고
하나님의 성도들을 어렵게 하는 모든 역경을 해결해 줍니다.
- 에드워드 맥 켄드리 바운즈(Edward McKendree Bounds)

5일차: 능력

"또 어떤 사람이 타국에 갈 때 그 종들을 불러
자기 소유를 맡김과 같으니 각각 그 재능대로
한 사람에게는 금 다섯 달란트를,
한 사람에게는 두 달란트를,
한 사람에게는 한 달란트를 주고 떠났더니
다섯 달란트 받은 자는 바로 가서 그것으로 장사하여
또 다섯 달란트를 남기고, 두 달란트 받은 자도 그같이 하여
또 두 달란트를 남겼으되, 한 달란트 받은 자는
가서 땅을 파고 그 주인의 돈을 감추어 두었더니"
(마태복음 25:14~18)

통찰력

예수님은 제자들에게 비유를 말씀하셨습니다. 오늘 본문이 비유의 첫 장면입니다. 그는 각각 종들에게 주인의 사명을 완수할 목적으로 두나미스(영어 신약성경에서 "능력"으로 번역됨)의 축복을 주었습니다. 첫 번째와 두 번째 종은 그들이 받은 달란트(자원)를 장사하여 남기기 위해서 큰 노력을 하였습니다. 실제로 하나님께서 주신 능력을 사용했습니다. 세 번째 종도 주인에게

달란트(자원)를 일부를 받았지만, 다른 행동의 모습을 가졌습니다. 한 달란트 받은 종은 장사하여 자원을 남기려고 하기보다, 그것을 묻어두고 자신 일을 계속했습니다.

예수님은 비유 끝부분에서 주인이 돌아와서 결산할 때, 처음 두 종은 매우 기뻐했지만, 셋째 종은 받은 것조차 모두 잃었다고 설명하였습니다.

이 비유에 나오는 종들처럼, 만약 여러분이 "그렇습니다! 예"라고 대답했다면, 예수 그리스도 안에서 여러분은 하나님의 기적적인 두나미스(능력)의 특별한 영역을 소유하게 됩니다.

주변의 지역사회와 생활 속에서 이웃들에게 다양한 사랑의 표현으로 친절함과 환대를 통하여, 그리스도의 복음(좋은 소식)을 전하는 성령의 사역에 참여하게 될 것입니다. 그리고 그것은 여러분의 독특한 능력이나 은사로 나타납니다.

이것은 단순히 여러분 자신의 타고난 인간적 재능이나 능력 그 이상입니다. 예수 그리스도 안에 있는 새로운 생명과 성령의 초자연적인 능력을 독특한 방식으로 여러분에게 퍼부어 주었습니다.

비유에 나오는 종들처럼 여러분도 결정을 내려야 합니다. 하나님께서 주신 기적적인 능력을 생활과 사역 속에 적용할 것입니까? 아니면 그것을 땅에 묻어두고 자기 일에만 집중할 것입니까?

여러분 자신의 매일 시간을 여러분 자신을 위해서만 사용하시겠습니까? 아니면 눈에 잘 보이지 않는 작은 행동으로, 성령의 인도를 따라 착하고 선(good)한 봉사를 하시며 사시겠습니까?

즉각적인 적용

여러분은 하나님이 주신 능력의 은사를 소유하고 있습니까? 여러분 은사에 따라 영적 활용성과 유연성을 주변 사람들에게 초자연적인 은사로 활용하고 계십니까?
여기에 작성해 주세요.

오늘 나의 돌파기도

하나님! 두나미스(능력)의 은사를 사용하고 배가시키는데 방해하는 것을 돌파하게 하옵소서. 제가 오늘 비유에 나오는 첫 번째 종처럼 되기를 원합니다. 주님의 원대한 목적을 위해 사용할 수 있는 자신감과 열정, 그리고 의지가 넘치도록 채워주십시오. 아멘.
자신만의 돌파 기도를 작성해 보세요.

기도 - 붙잡기 (오늘 하루 기도하기)

나를 사용하소서...

참된 기도는 정신적 훈련이나 목소리의 연주가 아닙니다.
그것은 정신교육이나 어떠한 행위보다 깊습니다.
참된 기도는 하나님과의 영적인 교통입니다.
- 찰스 스펄전(Charles Spurgeon)

6일차: 기다리기 훈련

"볼지어다 내가 내 아버지께서 약속하신 것을 너희에게 보내리니,
너희는 위로부터 두나미스(능력)으로
입혀질 때까지 이 성에 머물라 하시니라"
(누가복음 24:49)

통찰력

미국인들은 세계에서 가장 시간에 민감한 사람들입니다. 우리는 항상 서두르고 있습니다. 우리는 패스트푸드, 인스턴트커피, 인스턴트 메신저, 빠른우편, 빠른 오일 교환, 급행차로 등 발명하고 이용하고 있습니다.

우리는 기다리는 것을 싫어합니다.

- 자가 계산대가 있더라도 식료품 가게에 긴 줄이 있습니다.
- 통화 대기 상태일 때 고객 서비스담당자가 전화를 받습니다.
- 대화가 길어졌을 때 문자 메시지로 답장합니다.
- 습관적으로 늦는 친구
- 중요한 곳을 갈 때 교통체증이 있습니다.

우리는 오랜 시간 우리에게 큰 의미가 없는 일을 기다리는 것을 싫어합니다. 하지만 더 중요한 일들은 어떻습니까?

- 입양의 과정을 기다리고 있습니다.
- 예정된 수술이나 의사의 검사 결과를 기다리는 중입니다.
- 우리의 삶의 방향을 기다리고 있습니다. 다음 계획이 무엇일까요?

우리가 기다림을 싫어하는 만큼, 그 기다림 동안에 성령의 초자연적이고 강력한 일이 일어날 수 있습니다. 기다리는 것은 마음이 약해지는 것이 아닙니다. “기다리기 훈련” 은 우리가 결코 달성할 수 없다고 생각하는 단계에서 우리를 인도하는 데 도움을 주는 영적 근력을 키워줍니다.

예수님께서 부활하신 후에 제자들에게 다시 나타나셨습니다. 제자들은 예수님을 보고 매우 기뻐했습니다. 그때 예수님께서는 하늘로 올라가시기 전에 그들에게 거룩한 부담이 되는 마지막 임무를 주셨습니다. 바로 “기다리라”는 것이었습니다. 유대인들은 메시아가 오기를 이미 오랫동안 기다려 왔습니다. “이제 그들이 기다리던 사람이 떠나고, 그들은 기다려야만 했습니다... 다시?”

하나님께서 지금 여러분을 “기다리기 훈련” 프로그램에 참여시키셨습니까? 아마도 기다림은 단지 보류 기간이 아닙니다. 그것은 예수 그리스도와 함께하는 여정입니다. 아마도 “기다림”은 조급함을 내려놓고, 여러분의 믿음의 힘을 강화하기 위해서 성령의 능력을 힘입는 순간입니다.

즉각적인 적용

여러분은 하나님의 응답을 기다리고 있는 동안 어떻게 하고 있습니까? 여러분에게 보류되고 있는 응답은 무엇입니까? 문제를 스스로 해결하기보다는 성령의 능력이 계속해서 여러분을 성숙하고 변화시킬 수 있도록 기회를 가져 보세요. 그리고 하나님을 기다리는 동안 "영적인 힘"을 증대할 수 있는 새로운 방법을 고려해 보세요. 여기에 작성해 주세요.

오늘 나의 돌파기도

하나님, 기다림의 시간은 저의 소망이 성취되지 않아 답답하게 닫혀 있는 문이 아닙니다. 오히려 주님의 응답을 기다릴 수 있는 시간이 되도록 도와주세요. 아멘.
자신만의 돌파 기도를 작성해 보세요.

기도 - 붙잡기 (오늘 하루 기도하기)

하나님의 두나미스(능력)를 기다리며...

기도하며 기다리는 것은 내가 먼저
행동하는 것을 거부하고, 하나님의 인도를 따르는 것입니다.
-유진 피터슨(Eugene Peterson)

7일차: 타이밍

"오직 성령이 너희에게 임하시면
너희가 권능 (두나미스)을 받고
예루살렘과 온 유대와 사마리아와
땅 끝까지 이르러 내 증인이 되리라 하시니라."
(사도행전 1:8)

통찰력

하나님의 때와 응답이 나타나기를 계속 주목하는 것이 성경에서 많은 사람들의 삶의 주제였습니다. 6일 차에서 설명한 대로 "기다림 훈련"의 장점은 어느 날, 기다림이 끝나고 그 이후 응답이 있습니다.

다음 사항 고려하기:

- 오랜 가뭄 동안 방주를 지은 후, 마침내 노아는 첫 비를 경험하였습니다.
- 하나님께서 아브라함에게 위대한 민족을 세울 것이라고 약속하신지 오랜 후, 마침내 아브라함은 열국의 아버지가 되었습니다.

• 400년간의 노예 생활 후, 마침내 모세는 바로의 왕좌에 앉아 이스라엘 자손을 해방시 킬 기회를 얻었습니다.
• 형들에게 17세에 배신당했고, 이집트에서 억울한 감옥생활까지 했던 요셉은 14년 뒤 30세 때, 애굽의 2인자 국무총리가 되었습니다.
• 적절한 타이밍을 기다리고 지켜본 후, 마침내 에스더 왕비는 자신의 백성을 구하기 위해 행동을 할 수 있었습니다.
• 나오미를 돌보면서 하나님을 기다리던 룻은, 마침내 보아스를 통해서 하나님의 풍성함을 공급받게 되었습니다.
• 60~70년의 시간을 기다린 끝에, 마침내 욥은 의롭다 함을 얻었습니다.
• 30년이 지난 후, 마침내 예수께서 지상 사역을 시작하셨습니다.

사도행전 1장에서 보면, 제자들은 예루살렘 다락방에 모여 성령 강림하실 때까지 계속해서 "기다리는 훈련"을 했습니다. 하나님의 응답과 타이밍이 나타날 때까지 우리가 무엇을 하고 있는지가 중요합니다. 사도행전에서 제자들이 수동적으로 기다리지 않고, 적극적으로 기다리고 있었다는 것을 살펴볼 수 있습니다.

• 그들은 올바른 장소에 있었습니다.
• 그들은 기다리는 동안 기도했습니다.
• 그들은 기다리는 동안 인내심을 갖고 끈질기게 행동했습니다.
• 그들은 기다리는 동안에도 불평하지 않았습니다.
• 그들은 기다리는 동안 중단하지 않았습니다.

- 그들은 혼자 기다리지 않았습니다. 그들은 함께 기다렸습니다.

그것은 기다릴 만한 가치가 있었습니다. 얼마 지나지 않아, 오늘 우리 자신의 삶의 모습을 포함하여, 세계의 미래와 변화에 직면한 새로운 성장운동이 나타났습니다. 제자들과 초기 그리스도인들의 증거 위에 성령의 두나미스(능력)가 나타났습니다.

즉각적인 적용

오늘의 "통찰력"에 나오는 여러 성경 인물 중 여러분과 가장 관련성이 있는 사람은 누구라고 생각합니까? 돌이켜보면, 하나님의 때와 공급하심이 여러분이 원한 것보다 훨씬 더 나은 것으로 나타났던 사건이나 상황을 잠시 생각해 보십시오. 그리고 하나님의 성령께서 여러분의 생각과 기억을 떠오르도록 간구해 보십시오.
여기에 작성해 보세요.

오늘 나의 돌파기도

하나님, 내 방식대로 행하거나 말해야 하는 성급함을 깨드리고, 대신에 성령의 능력으로 문을 여시며, 공급하시고, 인도하시옵소서. 그리고 성령의 능력을 주실 때까지 잠잠히 기다리게 하옵소서. 아멘
자신만의 돌파 기도를 작성해 보세요.

기도 - 붙잡기 (오늘 하루 기도하기)

오소서, 성령님...

기도가 앞서지 않으면, 하나님 나라에서는 아무 일도 일어나지 않습니다.
- 존 웨슬리(John Wesley)

성령의 임재

8일차: "능력" 채우기

"그의 힘의 위력으로 역사하심을 따라 믿는 우리에게 베푸신 능력의
지극히 크심이 어떠한 것을 너희로 알게 하시기를 구하노라.
그의 능력이 그리스도 안에서 역사하사 죽은 자들 가운데서
다시 살리시고 하늘에서 자기의 오른편에 앉히사"
(에베소서 1:19~20)

통찰력

두 번째 주 돌파 기도는 하나님 성령의 능력에 대해 무엇을 기대할 수 있는지 초점을 두고 있습니다.

이 비유를 생각해 보십시오. 노트북, 태블릿 또는 핸드폰 충전기를 놓고 집을 떠난 적이 있습니까? 전자기기의 배터리가 충분히 충전되지 않으면, 생산적이지 않거나 심지어 전자기기가 중지될 수 있습니다. 상호작용, 연결 및 작업이 중단 없이 계속할 수 있도록, 전자기기에 전원을 공급하기 위해서 충전기를 가지고 가는데, 세심한 주의를 기울여야 합니다.

사도 바울은 신약성경 에베소의 교인들에게 진심 어린 편지를 보냈습니다. 오늘 본문 에베소서는 에베소 교인들을 위한 기도의 일부 내용이 포함되어 있습니다. 에베소 교인들은 성령의 두나미스

능력에 계속 연결되어 있어야 합니다. 바울은 그리스도를 따르는 자들에게 성령의 능력이 계속적으로 제공되어야 한다고 설명합니다. 그것은 예수께서 십자가의 죽음에서 생명으로 부활하신 능력입니다. 여러분은 하나님께로 향하기 전, 우리 자신의 인간적인 힘을 사용하고, 우리 자신만의 해결책을 찾고, 자신의 지혜와 최선의 노력으로 예수님을 따르려고 얼마나 많이 노력하고 있습니까? 여러분 자신의 "능력"을 얼마만큼 소유했던지, 여러분이 진정한 성령의 능력과 연결되어 있지 않으면, 결국 실패하게 됩니다.

매주 대면 혹은 온라인으로 한 시간 동안 예배에 참석하는 것만으로는 충분히 영적으로 충전되고 유지되지 않습니다. 마찬가지로 매일 해야 할 일정표를 점검하고, 매일 묵상 내용을 빠르게 점검하는 것만으로 충분하지 않습니다. 지금 당장 여러분의 상황에서 성령의 능력을 채우는 일에 연결해야 하는 것이 무엇입니까?

잠시 성경을 다시 읽고 묵상하는 시간을 가지십시오. 다음에 하나님 앞에서 영적으로 고요함과 음성을 듣기 위해 여러분 내면의 생각을 멈추십시오. 큰 소리로 말하든, 마음속으로 조용히 말하든, 여러분의 마음속에 떠오르는 모든 것을 기도로 전능하신 하나님께 올려 드리십시오. 그다음 하나님께서 그 문제를 돌파하시고, 새로운 가능성의 장을 열어주시도록 기도하십시오.

또한 여러분이 앞으로 나아갈 것을 기대하며, 하나님을 바라보면서 새롭게 인도하시도록 주님을 초대하십시오. 그리하면 성령의 능력이 여러분에게 무엇을 보여주고, 공급하고, 성취하실 것입니다.

즉각적인 적용

여러분의 믿음이나 기도보다 다른 어떤 것을 더 신뢰하고 있습니까?
여러분이 하루 종일 힘을 얻기 위해서 어떤 것에 신뢰하고 있습니까? (경험, 교육, 전문지식, 지위, 젊음, 육체적 힘, 재정적 능력, 맡은 역할이나 직위 등이 신뢰의 예 가 될 수 있습니다). 여러분들이 이러한 것들을 의지하여 실패했거나 잘못된 방향으로 인도된 경험이 있습니까? 여러분은 그러한 과정을 통해서 무엇을 배웠습니까? 여기에 작성해 주세요.

오늘 나의 돌파기도

하나님, 제 자신의 제한된 "능력"에 대하여 잘못된 확신을 제거 해 주옵소서. 하나님의 영적 능력에 우리 자신이 헌신할 수 있는 새로운 방법을 보여주시옵소서. 우리가 성령의 능력에 더욱 지속해서 연결될 수 있도록 도와주세요. 아멘.
자신만의 돌파 기도를 적어 보세요.

기도 - 붙잡기 (오늘 하루 기도하기)

하나님의 전능하신 강함이 나의 능력입니다.

우리가 [기도해야 할] 필요에서 자유로워진다면, 그것은 성령께서 우리를 만족시켜 주셨기 때문이 아니라, 우리가 가진 만큼 만족했기 때문입니다.
- 오스왈드 챔버스(Oswald Chambers)

9일차: 타인을 위한 "능력" 기도

"그의 영광이 풍성함을 따라 그의 성령으로 말미암아
너희 속사람을 능력으로 강건하게 하시오며
믿음으로 말미암아 그리스도께서 너희 마음에 계시게 하시옵고
너희가 사랑 가운데서 뿌리가 박히고 터가 굳어져서
능히 모든 성도와 함께 지식에 넘치는 그리스도의 사랑을 알고
그 너비와 길이와 높이와 깊이가 어떠함을 깨달아
하나님의 모든 충만하신 것으로
너희에게 충만하게 하시기를 구하노라"
(에베소서 3:16~19)

통찰력

바울 서신을 통해서, 초기교회 그리스도인들에게 보낸 편지 내용은 바울 자신이 생명을 위협받은 박해와 문제에 직면하고 있음을 자주 설명하고 있습니다. 그러나 바울은 계속해서 타인을 위해서 중보 기도하는 시간을 가졌습니다. 오늘 성경 본문 마지막 구절은 오늘날 교회 지도자들이 성령의 능력과 회중에 대한 사랑을 구하는 축복 기도로 자주 사용됩니다.

"하나님의 모든 충만하심이
너희에게 충만하게 되기를 구하노라. 아멘."

바울 서신이 쓰이기 수백 년 전, 구약성경은 욥의 가슴 아픈 이야기를 소개합니다. 점점 커지는 엄청난 비극과 어려움을 통해서 욥은 가족과 재산, 부와 건강을 잃었습니다. 이러한 모든 상황에서도 욥은 자신의 의지에 매달렸습니다.

욥은 하나님의 지시에 따라 자신의 관점에서 벗어나, 친구들의 평안과 안녕을 위해 기도했습니다. 욥이 친구들을 위해 기도한 후, 하나님의 기적적인 치유, 건강과 소망, 그리고 모든 것이 회복되었습니다(욥 42:7-16). 우리가 타인을 위해 하나님께 중보기도 하면, 우리는 다른 사람의 삶, 기쁨과 도전 안에 하나님의 은혜와 기적적인 성령의 능력을 차고 넘치도록 끌어올립니다. 이것은 타인을 위해서 하나님의 축복을 구하는 것입니다. 우리는 중보 기도할 때, 또한 하나님의 영적인 축복을 스스로 경험하게 됩니다.

아마도 지금 여러분은 어떤 개인적인 스트레스와 혼란을 경험하고 있습니까? 이것은 여러분의 건강, 우정, 관계적 문제, 재정, 또는 여러분이 갈등하고 있는 어려운 결정일 것입니다. 혹시 여러분은 다른 사람의 행동들로 고통스러운 결과를 경험하고 있을 수도 있습니다. 그것이 무엇이든 당신의 상황에서 여러분은 기도의 초점을 맞추어야 합니다. 성령의 능력은 타인을 위한 기도를 통해서 강하게 나타납니다. 그리고 여러분이 어려운 순간에도 다른 사람들을 위해 중보기도 하면, 여러분은 성령의 능력이 함께하는 영향력을 경험하게 될 것입니다.

즉각적인 적용

여러분은 타인을 위해 기도할 때 구체적으로 어떻게 기도합니까? 오늘의 성경 구절에서 타인을 위해 기도하는 방법과 내용에 관해서 어떤 새로운 관점을 발견하셨습니까? 지금 여러분의 기도가 필요한 사람은 누구입니까? 여기에 작성해 보세요.

오늘 나의 돌파기도

하나님, 자기중심적인 기도 생활 가운데서 저의 지경을 넓혀주옵소서. 성령께서 오늘 하루 동안 가능한 한 많은 사람들을 위해서 기도하게 하옵소서. 그들이 성령의 능력에 힘입을 수 있도록 영감을 주시고 능력을 주시옵소서. 아멘.
자신만의 돌파 기도를 작성해 보세요.

기도 - 붙잡기 (오늘 하루 기도하기)

성령이여, 나의 기도를 통해 당신의 능력을 베풀어 주소서...

중보기도를 통해서 예수그리스도의 거대한 계획이
우리가 기도 하는 사람들의 삶에 어떻게 나타나는지 보게 하시옵소서.
그리고 우리의 작은 영역에서 응답해 주옵소서.
- 프리실라 샤이어(Priscillla Shirer)

10일차: 인도하심과 공급하심

"우리 가운데서 역사하시는 능력대로 우리가 구하거나 생각하는 모든 것에 더 넘치도록 능히 하실 이에게 교회 안에서와 그리스도 예수 안에서 영광이 대대로 영원무궁하기를 원하노라 아멘"
(에베소서 3:20~21)

통찰력

"하나님이 인도하시는 곳에 하나님이 공급하신다"는 익숙한 말을 들어보셨을 것입니다. 사실입니다. 하나님께서는 거룩한 인도하심으로 성령의 두나미스 능력을 나타내기 좋아하십니다. 바울은 오늘 본문의 축복 된 말씀에서 강조하고 있습니다. 하나님의 부활 능력은 하나님께서 우리를 인도하시고, 우리에게 제공하시는 사역에 있어 우리의 생각과 말로 설명할 수 있는 것보다 훨씬 더 많은 일을 하십니다.

로자리오(ROZ)는 코로나19 팬데믹이 닥쳤을 때, 공동 목사로 섬기던 모자이크 교회에서 하나님의 능력을 경험했습니다. 대부분의 다른 교회 및 조직과 마찬가지로, 모자이크 교회는 모든 사역을 수행하는 방식을 바꾸기 위해서 신속하게 움직였습니다. 교회가 사용했던 극장에서 예배 운영을 중단했습니다. 더 이상

교회는 영화관을 임대하여 주일 예배를 드릴 수 없었습니다. 대신에 성령의 도우심으로 송신기를 이용하여 주차장 드라이브인으로 주일 예배를 드렸습니다. 모자이크교회 리더들의 기도로 새로운 비전을 탄생시켰습니다. 음악 밴드와 설교자는 플랫베드 트럭 위에서 실시하였고, 참석자들은 안전한 주차장에 주차하여 예배를 드렸습니다.

첫 번째 일요일이 다가왔을 때, 전기와 무대 장치, 장비 또는 물건이 완전히 구비되지 않았습니다. 그럼에도 불구하고 교회 지도자들과 성도들은 계속 합심하여 기도했습니다. 기도하는 동안에 하나님께서 밖에서 예배를 드리기 위해서 한 장소가 아니라 여러 장소에 필요한 모든 것을 제공하는 것을 경험하였습니다.

계절이 바뀌어 추운 날씨가 찾아왔습니다. 하나님은 뜻밖에도 교회를 위해서 저렴한 임대료를 내는 근처 상가의 비어 있는 백화점 공간을 예비하셨습니다. 모자이크 교회는 코로나 팬데믹의 전염병 가운데에도 추가 장비를 구입하고 공간을 개조하였습니다. 그리고 백화점 공간에 "들어가기" 위해 헌금을 모아야 했습니다. 교회 지도자들은 계속해서 기도하며, 헌금 목표를 87,000불로 목표를 정했습니다. 성령의 두나미스의 능력을 받은 성도들이 단지 9일 만에 상상했던 것보다 넘치도록 많은 금액인 거의 10만 달러가 헌금으로 모아졌습니다.

여러분도 하나님의 공급하심에 비슷한 경험을 하셨을 겁니다. 아니면 여러분의 삶에서 이러한 기적적인 인도와 필요에 대한 하나님의 공급하심이 이루어지길 기도할 것입니다. 기도 가운데 우리의 생각과 우선순위를 내려놓고, 예수 그리스도를 따르는 삶의 기초를 구비하도록 하십시오. 또한 하나님께서 여러분을 인도하시도록 간구할 때 용기를 가지시길 바랍니다.

그러므로 여러분이 하나님께 기도로 구하는 것은 무엇이든지 하나님께서 들으시고 귀하게 응답해 주십니다. 하나님께서 인도하시는 것과 제공하시는 것이 여러분이 원하는 것과 정확히 일치하지 않을 수도 있습니다. 성령의 두나미스가 하나님이 원하시는 것에 따라, 하나님의 거룩한 의도와 변화시키는 계획, 그리고 구속적 사랑에 따라 인도하심과 공급해 주실 것이라는 믿음과 확신을 갖기를 바랍니다.

예수의 구속적 사랑은 항상 우리 자신이 생각하는 것보다 훨씬 더 많은 것을 이루어 가십니다. 그리고 과정에서 여러분을 변화시킬 것입니다. 여러분 안에서 역사하시는 하나님의 능력을 신뢰하십시오. 다음 단계가 나타날 때, 앞으로 나아갈 용기를 찾으십시오. 여러분은 곧 믿음 모험의 열린 길을 경험하게 될 것입니다.

즉각적인 적용

여러분이 성령의 인도하심을 받기 위해 기도할 때, 성령의 음성을 듣고 순종하기 위해서 우리 자신을 완전히 내려놓으십시오. 그리하면 여러분은 하나님이 항상 응답하시고 공급하신다는 것을 경험하실 것입니다. 여러분은 이것을 얼마나 신뢰하고 전적으로 의지하고 있습니까? 여러분은 하나님의 공급하심을 구하는 기도를 드린 후 하나님께서 여러분에게 명백하게 인도하시는 데 따르지 않은 적이 있습니까?

여기에 작성해 주세요.

오늘 나의 돌파기도

하나님, 성령의 두나미스 능력에 의지할 수 있는 확고한 믿음 가운데 저를 인도하시고 세워주옵소서. 성령이 항상 저에게 두려움의 홍수를 물리쳐주옵소서. 아멘.

자신만의 돌파 기도를 작성해 보세요.

기도 - 붙잡기 (오늘 하루 기도하기)

훨씬 더 풍성하게...

담대한 기도는 하나님을 영화롭게 합니다.
하나님은 담대한 기도를 귀하게 여기십니다. 하나님은 여러분의 가장 큰 꿈이나 가장 대담한 기도를 불편해하지 않으십니다. 만일 여러분의 기도가 여러분에게 응답 되지 않는다면 그것은 하나님을 모독하는 것입니다.
- 마크 배터슨(Mark Batterson)

11일차: 걷고 이야기하기

"하나님의 사랑하심을 받은 형제들아 너희를 택하심을 아노라
이는 우리 복음이 너희에게 말로만 이른 것이 아니라 또한 능력과
성령과 큰 확신으로 된 것임이라 우리가 너희 가운데서 너희를
위하여 어떤 사람이 된 것은 너희가 아는 바와 같으니라"
(데살로니가전서 1:4~5)

통찰력

회복모임에 참석한 적이 있습니까? 알코올중독 회복모임, AA(Alcoholics Anonymous), AlAnon, Celebrate Recovery 혹은 다른 비슷한 회복지원그룹에 참석해 보셨나요. 여기 회복모임은 일련의 영적 원리 12단계에 중점을 두고 있습니다. 생활 방식의 변화를 위해 실천해 나갈 때, 그들은 모든 소비적인 활동과 파괴적인 습관의 모습을 해결하고 회복과 자유로 변화시킬 수 있습니다. 이런 진정한 회복은 공허한 말이나 머리로 이해하는 지식이 아닙니다. 그것은 행동으로 나타나는 것입니다. 여러분에게 올바른 선택을 하게 하는 것입니다. 이는 다른 사람들이 따라서 할 수 있는 모델과 같은 실질적인 사례가 됩니다.

여러분의 회복 이야기는 타인들에게 적극적인 회복의 여정을

향한 희망을 줍니다.

마찬가지로, 예수그리스도 안에서 성령의 능력은 새로운 삶을 향하여 점진적으로 변화시키고, 성숙시키고, 형성하게 합니다. 또한 타인에게 밝은 희망과 실제적인 모범을 줄 수 있습니다. 기회가 생길 때마다 예수그리스도에 대한 믿음과 신뢰의 이야기를 여러분의 메시지와 간증으로 나누시기를 바랍니다. 하지만 기도의 확신에 관한 여러분의 메시지는 여러분의 삶의 선택, 태도, 자신과 타인을 향한 실질적인 사랑의 행동을 통해서 분명해져야 합니다. 그렇지 않으면 의미가 없습니다.

바울이 오늘 본문에서 말씀하고 있습니다. 하나님의 능력에 대한 가장 큰 증거는 변화된 삶의 모습입니다. 예수 그리스도 안에서 여러분 자신은 살아있는 기적입니다. 말이나 메시지보다 훨씬 더 중요한 것은 변화된 여러분의 삶 자체입니다. 사실상, 기도를 통해서 성령의 두나미스가 매일 흘러가도록 깨끗한 그릇을 만들어 가야 합니다. 이렇게 살아가는 여러분의 삶은 빛으로 나타나며, 타인을 향한 격려로 퍼져 나갈 것입니다. 예수께서 제자들에게 말씀하신 것처럼,

"이같이 너희 빛이 사람 앞에 비치게 하여 그들로 너희 착한 행실을 보고 하늘에 계신 너희 아버지께 영광을 돌리게 하라" (마태복음 5:16).

즉각적인 적용

솔직하게 나누어 보세요. 여러분이 말하는 것 중 얼마나 많은 영역에서 여러분의 실제로 하는 행위(태도, 행동, 재정과 소유 물, 타인을 향한 태도, 영적 성장과 성숙을 위한 헌신한 시간)와 일치합니까? 어떤 영역에서 가장 큰 차이를 나타내고 있습니까? 여기에 작성해 보세요.

오늘 나의 돌파기도

하나님, 다른 사람들에게 예수를 증거하기 위해서, 저를 통해서 주님의 빛이 진실하게 나타나는 것을 방해하는 습관, 두려움, 생각을 떨쳐 버릴 수 있도록 도와주옵소서. 아멘.

자신만의 돌파 기도를 작성해 보세요.

기도 - 붙잡기 (오늘 하루 기도하기)

하나님, 내 삶을 통하여 말씀하시고 빛나게 하소서...

우리가 단지 우리 자신을 위한 삶을 살아간다면 결코 하나님과 더 가까워질 수 없습니다. 의도적으로 주님을 따름과 집중이 필요합니다.
- 프란시스 챈(Francis Chan)

12일차: 하나님의 약속

"믿음이 없어 하나님의 약속을 의심하지 않고
믿음으로 견고하여져서 하나님께 영광을 돌리며
약속하신 그것을 또한 능히 이루실 줄을 확신하였으니"
(로마서 4:20~21)

통찰력

우리는 매일의 약속이 큰 의미를 갖지 않거나 자주 지키지 않는 시대에 살아가고 있습니다. 그리고 약속이 이루어지지 않으면 실망하게 되고 신뢰가 무너집니다. 그러나 하나님의 관점은 다릅니다. 하나님은 약속을 실행할 기적적인 능력을 갖추고 계십니다. 바울은 다음과 같이 확신하였습니다.

"하나님의 약속은 얼마든지 그리스도 안에서 예가 되니, 그런즉 그로 말미암아 아멘 하여 하나님께 영광을 돌리게 되느니라" (고린도후서 1:20 NASB)

"하나님의 약속"이란 무엇을 의미합니까? 다음은 성경 전체에서 예수님이 말씀하신 많은 내용 중 몇 가지입니다.

"수고하고 무거운 짐 진 자들아 다 내게로 오라 내가 너희를 쉬게 하리라 나는 마음이 온유하고 겸손하니 나의 멍에를 메고 내게 배우라 그리하면 너희 마음이 쉼을 얻으리라" (마태복음 11:28~29)

"이것을 너희에게 이르는 것은 너희로 내 안에서 평안을 누리게 하려 함이라 세상에서는 너희가 환난을 당하나 담대하라 내가 세상을 이기었노라" (요한복음 16:33)

그리고 가장 중요한 약속은 다음과 같습니다.
"하나님이 세상을 이처럼 사랑하사 독생자를 주셨으니 이는 그를 믿는 자마다 멸망하지 않고 영생을 얻게 하려 하심이니라." (요한복음 3:16)

바울은 아브라함의 믿음을 예로 설명하고 있습니다. 구약 성경에 따르면 아브라함은 한 번도 가본 적이 없는 땅으로 이주했습니다. 하나님으로부터 많은 민족의 조상이 될 것이라는 약속을 받았습니다. 노년기에 아브라함과 그의 아내 사라가 아이를 낳을 것이라는 말을 들었습니다. 이중 어느 것도 아브라함과 사라는 자신의 힘과 낙관적인 생각으로, 전혀 가능하지 않았을 것입니다. 그것은 오직 약속을 성취하시는 하나님의 능력에 의해서만 가능했습니다. 하나님은 예수의 제자들에게 좋은 소식을 세상에 전파하기 위해서 성령을 통해 두나미스 능력을 주시겠다는 오래전에 약속을 세우셨습니다.

즉각적인 적용

예수를 믿음으로 영생을 주시겠다는 하나님의 약속에 "예"라고 대답하시겠습니까? 여러분이 마음에 믿고 붙잡고 있는 평안, 확신, 희망, 인도, 구원을 받은 하나님의 약속을 믿습니까? 그렇다면 그것은 무엇입니까? 여기에 작성해 주세요.

오늘 나의 돌파기도

하나님, 당신이 공급하는 약속을 우리 안에서 믿음으로 받게 하옵소서. 성령의 두나미스 능력을 통해서, 우리가 주님의 약속에 "예"라고 답하게 하옵소서. 아멘.
자신만의 돌파 기도를 작성해 보세요.

기도 – 붙잡기 (오늘 하루 기도하기)

하나님의 약속, 하나님의 능력…

하나님의 약속만큼 미래는 밝아집니다.
– 윌리엄 캐리(William Carey)

13일차: 능력의 지혜

"하나님의 지혜에 있어서는 이 세상이 자기 지혜로 하나님을
알지 못하므로 하나님께서 전도의 미련한 것으로 믿는 자들을
구원하시기를 기뻐하셨도다. 유대인은 표적을 구하고 헬라인은
지혜를 찾으나 우리는 십자가에 못 박힌 그리스도를 전하니
유대인에게는 거리끼는 것이요 이방인에게는 미련한 것이로되
오직 부르심을 받은 자들에게는 유대인이나 헬라인이나
그리스도는 하나님의 능력이요 하나님의 지혜니라.
하나님의 어리석음이 사람보다 지혜롭고
하나님의 약하심이 사람보다 강하니라"
(고린도전서 1:21~25)

통찰력

하나님의 지혜는 세상의 "지혜"와 매우 다릅니다. 예수께서는 심오한 초자연적인 능력의 지혜를 지닌 교사였습니다. 이전에 경험한 어떤 것과도 비교할 수 없는 영적인 깊이를 제공해 주었습니다. 고등교육을 받은 종교 지도자들이 예수님을 속이려고 했습니다. 그리고 예수님의 대답을 거부하기도 했습니다. 예수님은 하나님께서 주시는 지혜의 능력(두나미스)을 일관되게 말씀

하셨습니다.

예수님의 죽음과 부활 이후에 초기교회는 성장했습니다. 복음이 널리 퍼져가면서 바울과 같은 지도자들은 하나님의 진리인 십자가에 못 박히신 예수 그리스도의 기적과 메시지를 전했다는 이유로 투옥되었습니다. 바울은 고린도 교회에 첫 번째 편지를 쓰면서, 오늘 본문을 강조하였습니다. 분명히 예수님은 자기를 따르는 그리스도인들에게 하나님의 지혜를 구하는 것이 세상의 지혜보다 훨씬 뛰어나다는 것을 말씀하고 있습니다.

여러분은 어떻습니까? 주변의 사람들이 여러분의 상황과 도전에 대하여 좋은 충고를 제공에도 불구하고, 방향을 잃거나 불확실하다고 느끼는 순간들이 있었습니까?

하나님은 우리가 직면한 상황, 가야 할 방향, 결정에 대해서 성령 감동의 지혜를 우리에게 주시기를 원하십니다.
하나님의 지혜를 얻기 위해서 성경을 묵상하는 시간을 가져야 합니다. 그리고 여러분 자신, 어떤 가설과 생각, 다른 사람의 조언을 내려놓아야 합니다. 하나님과 관계하여 기도를 통해서 구하고 듣고 얻을 수 있습니다.

하나님의 지혜를 구하는 기도는 쉽고 빠른 해결책을 얻는 것이 아닙니다. 그리고 세상에서 가장 합리적인 생각을 확인하려는 것이 아닙니다. 대신에 성령께서 말씀하시는 하나님 능력의 힘을 구하는 것입니다.

즉각적인 적용

여러분은 일반적으로 자신의 "지혜"(타인의 지혜, 군중의 지혜)를 따르는 성향이 있습니까? 아니면 잠시 멈춰서 하늘을 바라보며 하나님께 성령의 지혜를 구하는 습관이 있습니까? 하나님의 지혜가 여러분의 지혜와 다르다면 어느 쪽을 더 따라가야 합니까? 왜? 여기에 작성해 주세요.

오늘 나의 돌파기도

두나미스로 가득 찬 지혜가 기적적으로 나타나 저의 앞에 길이 열릴 수 있도록 제 생각과 의견, 그리고 가설의 모든 장애물을 제거해 주십시오. 아멘.
자신만의 돌파 기도를 작성해 보세요.

기도 - 붙잡기 (오늘 하루 기도하기)

내 지혜가 아닌 하나님의 지혜를 주옵소서...

잿더미 속에서 솟아오르는 불사조처럼 우리가 세상에서
하나님의 지혜와 방법을 행하므로 일어날 수 있습니다.
- 후아니타 라스무스 (Juanita Rasmus)

14일차: 우리에게 필요한 모든 것

"그의 신기한 능력 (두나미스)으로 생명과 경건에 속한
모든 것을 우리에게 주셨으니 이는 자기의 영광과 덕으로써
우리를 부르신 이를 앎으로 말미암음이라"
(베드로후서 1:3)

통찰력

오늘 본문에서 베드로는 두나미스 능력으로 예수 그리스도를 아는 것을 통해 "경건한 삶에 필요한 모든 것"을 선물로 주셨다고 합니다. 구절에서 헬라어 조에(Zoe)는 영어로 "생명"으로 번역되었습니다. 구체적으로 우리 안에 있는 혼과 영을 가리킵니다. 베드로는 세상 살아가면서 육체적 혹은 감정적으로 어려운 경우가 많지만, 우리가 예수님을 따라갈 때, 이미 승리할 수 있는 부활의 힘과 영적 자원을 받았다는 점을 강조하고 있습니다.

성경은 하나님께서 성령의 두나미스 능력을 통해서 우리가 영적으로 부흥하고, 이미 문제를 극복하는데 필요한 모든 것을 우리에게 주셨다고 확신합니다.

영적 성장과 성숙은 우리가 하나님의 기준에 도달하려는 노력이나 영감을 얻기 위해서, 충만한 영적 경험을 노력함으로 절대

얻어지지 않습니다. 하나님은 우리의 노력이 반복적으로 실패하여 거기에서 오는 패배감과 환멸감을 종종 사용하십니다.

우리 가운데 하나님 나라의 믿음 방식과 성장을 가져오는 성령의 두나미스 능력의 "모든 것"을 받아들일 수 있도록 준비시키십니다.

여러분이 성령의 두나미스의 "모든 것" 안에서 살고 있는지 어떻게 알 수 있습니까?

바울은 갈라디아서 5장 22~23절에서 우리 삶의 모습 증거를 성령의 열매: 사랑, 희락, 화평, 오래 참음, 자비, 양선, 충성, 온유, 절제로 설명하고 있습니다. 여러분 안에 나타나는 성령의 열매는 우리 스스로 생성될 수 없습니다. 성령의 열매는 여러분이 예수 그리스도 안에서 부르심을 받은 새로운 생명의 성숙한 은사를 받아들인 결과로 나타납니다.

즉각적인 적용

하나님의 능력이 여러분에게 "경건한 삶을 위해 필요한 모든 것"이 공급되지 않았다고 경험했던 순간이 있습니까? 여러분의 삶에서 어떤 것을 잃어버렸다고 생각하십니까? 그다음에 무슨 일이 있었는지 생각해 보세요. 하나님의 능력이 여러분에게 무엇을 제공했나요? 만약에 아직 공급받지 못했다면 무엇이 필요하다고 느끼셨나요? 여기에 작성해 주세요.

오늘 나의 돌파기도

하나님, 물질적 축복이 주님의 "모든 것"이라고 말하는 저의 태도를 내려놓게 하옵소서. 하나님이 말씀하는 "모든 것"의 영광스러운 현실이 저에게 흘러넘칠 수 있도록 도와주옵소서. 아멘.
자신만의 돌파 기도를 작성해 보세요.

기도 – 붙잡기 (오늘 하루 기도하기)

필요한 모든 것...

걱정되는 현실은 믿는 사람들이 그리스도와 깊은 관계를 갖지 않아도,
그리스도인으로서 깊게 헌신할 수 있다는 것입니다.
– 리취 빌로다스(Rich Villodas)

셋째 주

성령의 힘

15일차: 우리의 말을 통해

"내 말과 내 전도함이 설득력 있는 지혜의 말로 하지 아니하고
다만 성령의 나타나심과 능력(dunamis)으로 하여,
너희 믿음이 사람의 지혜에 있지 아니하고
다만 하나님의 능력(dunamis)에 있게 하려 하였노라"
(고린도전서 2:4~5)

통찰력

세 번째 주 가이드북은 우리가 기도의 충만한 생활에 헌신할 때, 분명하게 성령의 능력이 나타나는 몇 가지 기적적인 활동에 초점을 두었습니다.

14일 차의 성경 본문에서 우리는 사도 바울이 "성령의 열매"라고 명명한 것을 살펴보았습니다. 성령의 열매를 영적 성장의 외적인 표현으로 정의하였습니다(갈라디아서5:22-23).

오늘 우리는 성령의 능력 활동이 어떻게 바울의 은사에 부어져서 하나님 나라 사역을 위한 강력한 도구로 변화되었는지를 생각해 보고자 합니다.

회심하기 전 바울의 생활을 보면, 유대 율법을 열심히 공부하는 탁월한 학생이었고, 사도행전 22장 3절에서 바울은 당시 최

고의 교사 중 한 사람이었다고 말합니다. 오늘날로 표현하면, 법학박사 학위를 취득한 가말리엘 밑에서 공부했다는 사실을 알 수가 있습니다. 성경학자들은 바울 역시 동일한 교육 수준에 도달했다고 합니다. 심지어 바울의 이전교사보다 뛰어났을 수도 있다고 가정합니다. 바울은 배움에 대한 끊임없는 탐구와 토론에 대한 열정으로 아마도 히브리어와 헬라어, 그리고 다른 언어에도 능통했습니다.

초기 기독교 운동에서 바울은 박해자로 유명했지만, 바울은 머리가 좋지 않은 야만인이 아니었습니다. 그러나 바울이 다메섹으로 가는 길에 예수님을 만난 이후(행 9장), 바울의 탁월한 지성은 더 이상 중요하지 않았습니다.

바울은 믿음, 기도, 영적 성숙이 자라면서, 바울 자신이 더 이상 학식 있는 말을 하거나 군중에게 인기를 얻는데 관심 없었습니다. 바울은 지적으로 다른 사람들을 설득하려는 학식과 설득력 있는 말이 무력하다는 것을 알게 되었습니다.

하나님의 부활 능력이 청중들을 믿음으로 이끌 수 있도록, 바울은 성령의 활동에 의지했습니다. 바울은 예수그리스도의 메시지와 사명을 위하여 성령께서 바울을 통해 역사하시기를 간구하는 순종 기도를 통하여 영적으로 성숙하게 되었습니다. 바울은 변화되었습니다. 하나님의 능력 있는 사역이 바울의 중심에 자리 잡아, 자신의 성취감에 대한 교만은 사라지게 되었습니다.

여러분은 어떻습니까? 여러분은 이웃들이 여러분의 말을 듣고 따라오도록 열심히 노력하고 있습니까? 아니면 성령의 능력이 여러분을 통해서 성취하고 있는 것에 감사하고 있습니까?

즉각적인 적용

여러분의 말은 종종 여러분의 감정 (방어적 태도, 불안감, 우월함, 타인에 대한 비판, 최고가 되고자 하는 욕망)에 의해 동기부여 되고 있습니까? 다른 사람을 축복하고 격려하십니까?
여기에 작성해 보세요.

오늘 나의 돌파기도

하나님, 다른 사람들의 눈에 유능하게 보이려는 나의 교만한 욕망을 깨뜨리시옵소서. 대신 나의 말과 행동을 통해서 나타나는 성령의 능력에 순종하여 오늘을 살 수 있게 하옵소서. 아멘.
자신만의 돌파 기도를 작성해 보세요.

기도 – 붙잡기 (오늘 하루 기도하기)

말이 아닌 능력으로...

우리가 "분투"하는 많은 것들이
단지 하나님께 대한 순종을 지체하는 것입니다.
– 엘리자베스 엘리엇(Elisabeth Elliot)

16일차: 영생을 위하여

"하나님이 주를 다시 살리셨고,
또한 그의 권능(두나미스)으로 우리를 다시 살리시리라"
(고린도전서 6:14)

통찰력

성령의 가장 확실한 증거는 "죽음에서 다시 살리는 능력"입니다. 하나님께서 예수님을 무덤에서 살리실 때, 나타난 동일한 부활 능력의 역사가 오늘날에도 계속되고 있습니다. 결혼, 우정, 직장 상황, 가족의 다이나믹 - 우리의 기도에 나타나는 하나님의 부활 능력을 통해서, 죽은 것처럼 느끼고, 행동하고 보이는 현실이 기적적으로 일어날 수 있습니다.

하나님의 부활 능력은 영생에 대한 예수의 약속을 이루어 가십니다. 예수 그리스도를 따르는 모든 사람에게 특별히 활동하십니다. 이 세상의 생활이 우리가 알고 있는 것의 전부가 아닙니다! 요한복음 3장 16절에서 예수의 말씀을 다시 기억하십시오. "하나님이 세상을 이처럼 사랑하사 독생자를 주셨으니 이는 저를 믿는 자마다 멸망치 않고 영생을 얻게 하려 하심이니라."

좀 더 깊게 살펴보겠습니다. 헬라어에서 “영원한”이라는 단어는 절대 끝나지 않는 것을 의미합니다. 여기에서 예수님께서 사용하신 헬라어 조에(Zoe)는 영어로 “생명”으로 번역됩니다. 실제로는 우리의 혼과 영의 생명을 가리킵니다.

예수님은 그리스도 안에서 새 생명을 얻은 것이 성령의 부활 능력을 가져온다고 분명히 말씀하셨습니다. 그러므로 우리의 몸이 죽어 땅에 묻힐 때, 우리의 혼과 영은 계속해서 하나님의 능력으로 부활하여 영원한 생명을 얻게 됩니다.

하나님의 능력은 시간과 공간을 초월합니다. 우리가 예수 그리스도 안에서 죽을 때, 우리는 생명에서 사망으로 옮겨지는 것이 아닙니다. 오히려 죽음에서 생명으로 옮겨지는 것입니다. 우리도 하나님의 능력으로 예수님처럼 부활할 것입니다.

즉각적인 적용

예수 그리스도 안에서 죽음은 끝이 아닙니다. 그것은 위대한 영적 대각성입니다. 성령의 부활 능력을 깊이 묵상할 때, 이 선언의 말씀은 여러분에게 무엇을 의미합니까?
여기에 작성해 보세요.

오늘 나의 돌파기도

하나님, 성령의 부활 능력으로 우리가 "죽은" 것처럼 보이는 상황에서 새로운 생명을 허락해 주옵소서. 아멘.
자신만의 돌파 기도를 작성해 보세요.

기도 - 붙잡기 (오늘 하루 기도하기)

죽음에서 생명으로...

삶에 대한 우리의 생각을 이루는 데 필요한 관점은,
이 세상에서의 삶과 영원한 삶 사이의 의도적인 구분을 제거해야 합니다.
복음서에서 예수의 메시지는 천국이 지금 여기에 있다는 것입니다.
- 아서 존스(Arthur Jones)

17일차: 믿음 집중

"내가 그리스도와 그 부활의 권능(두나미스)과
그 고난에 참여함을 알고자 하여 그의 죽으심을 본받아"
(빌립보서 3:10)

통찰력

여러분은 매일 계획대로 진행하기 위해서 일정표를 작성하십니까? 아니면 새해에 스스로 결심하기를 좋아할 수 있습니다. 그리고 여러분은 미래에 경험하거나 성취하고 싶은 것들에 대한 버킷 리스트를 작성할 것입니다.

그리고 SNS에서 사람들이 볼 수 있도록 사진을 게시할 것입니다. 당신이 생각하는 것이 달라서 목표를 세우기가 어려울 수도 있습니다. 또는 조그만 계획을 세우는 걸 좋아하고 세상에 알리는 것을 원하지 않을 수도 있습니다.

사도 바울의 평생 목표는 아주 간단했습니다. "나는 그리스도를 알고 싶습니다." 바울은 초대교회의 상황에서 무슨 일이 일어나든지, 자기가 핍박을 받든지, 결코 잊을 수 없는 초점이 있었습니다.

바울은 죽은 자 가운데서 부활하신 유일한 분, 예수님에게서 성령의 능력이 발견된다는 사실을 알았습니다. 바울은 세상 육신의 사망에서 혼과 영이 영원한 생명으로 부활을 경험한다는 것을 믿었습니다. 그러나 이 과정에서 우리는 예수그리스도처럼 고난을 겪게 될 것입니다.

예수님께서 겟세마네 동산에서 공생애 생활의 마지막 순간에 기도하셨습니다. 기도하시는 중 "하나님이여 내 뜻대로 마옵시고 아버지의 뜻대로 하옵소서."라는 초점은 "순종하는 기도"였습니다. 바울은 감옥에서 빌립보 사람들에게 보내는 편지 가운데, "나는 그리스도를 알고 싶습니다."라고 기록하고 있습니다.

바울은 성령의 능력이 우리를 영적 성장과 성숙의 통로라는 것을 알았습니다. 상실, 거절, 비판, 신체적 질병 또는 다른 도전의 장소, 돈의 우선순위, 명성 그리고 소유물들은 모두 사라지게 됩니다. 영적으로 가장 가치 있고 중요한 것이 최고입니다. 만약 여러분의 믿음의 길에 어려움이 찾아온다면, 예수, 바울, 그리고 우리를 둘러싸고 있는 "구름같이 많은 증인들"(히브리서 12:1)을 바라보시고, 확신을 가지십시오. 기적적인 성령의 공급으로 여러분의 삶의 모든 장이 열릴 것입니다. 성령의 능력이 여러분의 신앙 초점을 완전하고 성숙하게 하는 근원임을 확신하시기를 바랍니다.

즉각적인 적용

지금 여러분의 시간, 에너지, 우선순위의 초점 가운데서, 예수그리스도 안에 있는 믿음을 방해하는 것이 무엇입니까?
고통(건강문제, 관계문제, 좌절, 재정적 어려움, 또는 기타 등)을 겪었던 경우를 생각해 보세요. 여러분이 고통에 집중하는 동안 여러분의 믿음의 초점이 강화되었습니까? 그렇다면 어떤 방식으로 강화되었습니까? 여기에 작성해 주세요.

오늘 나의 돌파기도

하나님, 당신의 부활 능력이 우리의 삶 가운데 나타나게 하옵소서. 그리고 제가 지금 기도하는 사람들의 생활 속에서 믿음의 초점과 의미가 전달되게 하옵소서. 아멘.
자신만의 돌파 기도를 작성해 보세요.

기도 - 붙잡기 (오늘 하루 기도하기)

그리스도를 깊이 경험하여 알고 싶습니다...

기차가 터널을 통과하며 어두워져도, 당신은 티켓을 버리고
뛰어내리지 않습니다. 여러분은 가만히 앉아서 기관사를 신뢰합니다.
- 코리 텐 붐(Corrie ten Boom)

18일차: 새로운 영

"하나님이 우리에게 주신 것은 두려워하는 마음이 아니요
오직 능력(dunamis)과 사랑과 절제하는 마음이니"
(디모데후서 1:7 NKJV)

통찰력

바울은 젊은 제자 디모데와의 관계에서, 두려움의 영이 아닌 성령의 능력으로 살아가는 삶의 모범을 보여주었습니다. 바울에게 두려움의 영으로 살 수밖에 없는 충분한 이유가 있었습니다. 디모데에게 보낸 서신 중 두 번째 서신(성경은 디모데후서라고 불림)은 바울이 죽기 직전, 어둡고 깜깜한 습기가 많은 로마 감옥에서 쓴 것입니다.

로마 네로 황제는 백성들을 소란하게 만들었습니다. 그리고 거의 로마 절반을 불태웠습니다. 그리스도인들은 네로에게 쉬운 타깃이 되었습니다. 네로는 그리스도인을 희생양으로 삼았습니다. 바울은 박해받은 사람 중 한 사람이었습니다. 디모데후서를 쓴 직후, 로마 관리들에 의해 참수형을 당했습니다.

디모데는 10여 년 전 바울과 함께한 사역 파트너였습니다. 디

모데는 집을 떠난 후 바울의 충실한 동역자였습니다. 그들의 관계는 아버지와 아들의 관계와 같았습니다.

영화를 좋아하는 사람이라면, *The Karate Kid*의 Mr. Miyagi와 Danielsan을 생각해 보세요. 스타워즈 (Star Wars) 팬이라면 Luke Skywalke와 Obi-Wan Kenobi를 기억할 것입니다. 록키 (Rocky) 영화를 좋아한다면, Mickey와 Rocky의 관계와 같습니다.

바울은 감옥에서 에베소 교회를 사역하고 있는 디모데를 가르치고 격려하였습니다. 바울 앞에 죽음이 다가왔음에도 불구하고, 바울의 말은 담대했습니다. 바울은 디모데에게 어떠한 위협적인 두려움의 영은 전능자에게서 나오는 것이 아니라는 것을 권면했습니다.

대신에 바울의 권면은 성령을 통해서 오는 축복들 즉, 두나미스의 능력, 하나님의 아가페 사랑, 견고한 믿음을 받아들이라고 말합니다. 바울과 디모데의 역사는 둘 사이에 사심 없는 사랑과 자기 훈련의 생활 방식을 통하여 성령의 활동을 반영합니다. 그들이 세상에서 사역하는 동안 하나님의 이야기를 선포하고 설명하였습니다. 그들은 서로 두려움이나 낙심에 빠지지 않게 하였습니다. 또한 집중력을 낭비하거나, 의도적으로 가능한 사역을 제한하지 않았습니다.

즉각적인 적용

여러분은 두려운 영을 얼마나 쉽게 수용하고 있습니까? 두려운 영을 수용할 때, 이웃을 사심 없이 사랑하거나 굳건한 믿음의 상태를 유지하는데 어려움은 없습니까?
여러분의 생각을 작성해 보세요.

오늘 나의 돌파기도

하나님, 저에게 모든 두려움을 이기게 하시고, 성령의 두나미스 능력과 이기심 없는 사랑과 굳건한 믿음을 주옵소서. 아멘.
자신만의 돌파 기도를 작성해 보세요.

기도 - 붙잡기 (오늘 하루 기도하기)

능력과 사랑과 굳건한 마음으로....

내 입술의 기도가 정말 내 삶의 기도일까요?
- 앤드류 머레이(Andrew Murray)

19일차: 성경을 통해

"예수께서 대답하여 이르시되 너희가 성경도,
하나님의 능력도 알지 못하는 고로 오해하였도다"
(마태복음 22:29)

통찰력

성경에서 성령의 능력을 살펴보면 그것은 종종 예수 그리스도를 따르는 사람들의 삶 속에서 나타납니다. 그리고 성령의 활동이 그리스도인들을 통해서 나타납니다.

하지만 오늘 본문은 예수 당시 종교 지도자인 사두개인들은 예수와 논쟁하여 예수님을 곤란하게 만들려고 했습니다. 사두개인들은 죽은 자의 부활이 없다고 했습니다. 그들은 심지어 영적 영역 천사, 귀신과 관련된 모든 것을 거부했습니다. 그들은 대신에 종교 지도자들로 구성된 종교적이고 정치적 종파로서 자부심을 가졌습니다. 사두개인은 그 당시 영향력 있는 사람들이 되기 위해서 독선적으로 활동했습니다.

만일 예수께서 지금 육체를 가지고 살아가고 계신다면 선한 일을 행하는 도덕적인 사람임에도, 실제로 믿음이 부족한 그리스도인들을 발견하실 수 있을까요? 어떤 사람들에게 "기독교"는 그들의 마음속에 뿌리내리고 있는 예수께 "올인(all-in)" 관계라기보다는 겉모양만 그리스도인에 더 가까울 수 있습니다. 예수님 당시 사두개인처럼 오늘날 많은 그리스도인 중에 성령의 두나미스와 같은 영적 영역의 실제를 부인하거나, 무시하면서 살아갈 수 있습니다. 또한 성령의 능력을 아주 오래전에 일어난 일로 여깁니다. 그래서 많은 사람들이 기독교가 능력이 없고, 무력하고 약화 되었다고 생각합니다.

마태복음에서 예수님께서 사두개인의 질문에 대답할 때, 성경과 하나님의 두나미스 능력도 알지 못한다는 점을 지적하였습니다. 예수님을 따르는 기적의 상황에서 "믿음"을 "도덕적 자기의"로 전환 한 사두개인의 모습을 예수님은 정확히 파악하셨습니다.

여러분은 성경과 여러분을 통해서 움직이고 활동하시는 하나님의 두나미스를 얼마나 잘 알고 믿고 있습니까? 여러분은 하나님의 말씀 (성경)을 읽고 묵상하는 것이 필수적입니다. 그것은 정보와 안내를 제공하는 것만이 아니라 성령의 두나미스 즉 여러분에게 새롭게 열어갈 돌파 기도를 통하여, 우리의 영적 변화를 위한 새로운 장을 만들어 갈 것입니다. 이것은 믿음의 지적인 확신을 넘어서서, 성령의 폭발적인 능력으로 살아있고 활기찬 생활 방식으로 나아가게 하는 주요한 통로가 될 것입니다.

즉각적인 적용

사두개파에 대한 예수님의 반응을 살펴보고 여러분은 무엇을 보고, 느끼고, 경험하고, 깨달았습니까? 예수님께서는 여러분에게 무엇이라고 말씀하십니까? 여기에 작성해 주세요.

오늘 나의 돌파기도

하나님, 말씀으로 제가 "영적인 잠"에서 깨어나게 하소서. 성령을 통해서 무엇을 할지 갈망하게 하시고, 기도 안에서 영적으로 각성하고 깨어나게 하옵소서. 아멘.
자신만의 돌파 기도를 작성해 보세요.

기도 – 붙잡기 (오늘 하루 기도하기)

성경과 하나님의 능력으로...

콘서트를 먼저 하고, 후에 악기를 조율하지 마세요.
하루를 하나님의 말씀과 기도로 시작하세요.
그리고 무엇보다 먼저 예수 그리스도와 화목 하십시오.
- 허드슨 테일러(Hudson Tayer)

20일차: 십자가

"십자가의 도가 멸망하는 자들에게는 미련한 것이요
구원을 얻는 우리에게는 하나님의 능력이라"
(고린도전서 1:18)

통찰력

미국의 모든 연령층에서 목걸이, 귀걸이, 팔찌, 반지, 티셔츠, 그리고 문신에 예수의 십자가에 못 박히신 모습은 인기 있는 복장입니다. 어떤 사람들은 십자가 상징을 착용하는 것을 희망과 미래의 가능성을 위한 성령의 기적적인 활동이라고 생각합니다. 그리고 그 십자가 상징은 우리가 용서받은 새로운 생활의 감사로 가득 찬 표현으로 설명합니다. 어떤 사람들은 다른 이유로 십자가 상징을 좋아할 수도 있습니다.

그러나 십자가의 상징은 예수께서 공생애 기간 매우 독특한 의미를 지니고 있습니다. 즉 십자가는 가장 극심한 처형에 의한 죽음입니다. 당시 범죄자들을 처형할 때 최대한 굴욕적인 상황을 만들기 위해서 자신의 십자가를 지도록 요구하였습니다.

예수께서 제자들에게 이르시되, "누구든지 내 제자가 되려거든 자기를 부인하고 자기 십자가를 지고 나를 따를 것이니라. 누구든지 자기 목숨을 구원코자 하면 잃을 것이요, 누구든지 나를 위하여 자기 목숨을 잃으면 찾으리라. 사람이 온 천하를 얻고도 자기 목숨을 잃으면 어찌 유익하리오. 사람이 무엇을 주고 제 목숨과 바꾸겠느냐" (마태복음 16:24~26).

예수께서 "십자가를 지고"라는 말씀은 예수를 완전히 따르기 위해서 옛 자아가 완전히 죽음으로 새로운 영원한 생명을 얻게 됩니다. 십자가 초대의 '예(Yes)'라고 대답하면 여러분의 시간, 돈, 관계성, 소유물, 계획(자신이 원하는 것과 선호하는 것)보다 예수그리스도께 순종하는 것을 의미합니다. 이것은 여러분에게 엄청난 확신입니다.

다음에 십자가 상징을 여러분이 착용할 때 (또는 바라볼 때), 십자가는 전능자로부터 받은 축복의 표현으로 생각하는지, 아니면 십자가가 여러분의 모든 것을 계속 순종하게 하는 결정인지 스스로 질문해 보십시오. 그리고 예수님을 따르십시오. 십자가의 진정한 메시지는 믿음이 없는 사람들에게 어리석은 것입니다. 그리고 스트레스를 줄이고, 고통 없이 살고, 자기중심적이고 근심 없는 삶을 추구하는 사람들에게는 참으로 어리석은 것입니다. 그러나 예수님을 믿는 사람들에게 모든 것을 가능하게 하십니다. 영적 자원을 주시는 성령의 부활 힘인 두나미스 활동을 통해서 매일 십자가의 메시지를 경험하게 될 것입니다.

즉각적인 적용

보석, 의복, 교회에서 십자가의 상징을 볼 때, 여러분은 가장 먼 저 무엇이 떠오르십니까? 하나님께서 여러분에게 주신 축복입니까? 아니면 여러분 자신이 짊어질 십자가로 날마다 죽는 것으로 의미합니까? 예수님을 온전히 따르는데 십자가는 여러분을 자유롭게 해줄 돌파를 요청하는 기도로 이해하십니까? 아니면 또는 다른 어떤 것인가요? 여기에 작성해 주세요.

오늘 나의 돌파기도

하나님, 그동안 제가 사리사욕, 두려움과 미루는 습관으로 인해서 닫혔던 마음과 생각의 문을 열어주옵소서. 내가 주님을 온전히 따를 때, 성령의 두나미스 활동이 저를 앞으로 전진하게하시고, 채우고, 완전히 변화시켜 주옵소서. 아멘.
자신만의 돌파 기도를 만들어 보세요.

기도 - 붙잡기 (오늘 하루 기도하기)

메시지는 힘입니다...

이 세상에서 십자가를 짊어지고 주님을 따르지 않은 사람은
천국에서 왕관을 쓴 사람이 없습니다.
- 찰스 스펄전(Charles Spirgeon)

21일차: 전쟁의 외침

"우리를 시험에 들게 하지 마옵시고, 다만 악에서 구하시옵소서 나라와 권세(두나미스)와 영광이 아버지께 영원히 있사옵나이다."
(마태복음 6:13 NKJV)

통찰력

어떤 노래가 당신의 머릿속에 맴돌고 있습니다. 여러분이 부모라면, 여러분이 반복해서 들으면서 외웠던 동요나 어린이 프로그램의 주제가를 부르는 모습을 발견하곤 합니다. 종종 그 노래들이 머릿속에 맴돌면서 가사에 대해서 의미 있게 생각되고, 그 노래가 실제로 전달하는 메시지로 깨닫기 시작합니다.

이는 우리가 성경에 집중할 때 발생합니다. 아마도 여러분은 어떤 상황에서 당신을 격려할 목적으로 성령의 활동이 마음으로 감동되는 구절이나 단락을 떠오르게 하는 경우가 있습니다. 그러한 단락이나 성경 구절은 영적 전쟁에서 우리의 방패와 힘이 될 수 있습니다.

초기 기독교 역사에서 교회는 예수께서 제자들에게 가르치신 기도(마태복음6:9~13절 참조)를 보편적으로 사용해 왔습니다. 이것은 주기도문입니다. 어린이와 성인 모두가 기억하며, 주기도문은 기적의 기초로서 두나미스 능력과 영원한 하나님 나라의 왕권을 확신하게 합니다. 사실 마태복음 6장 13절은 기도의 마지막 문장 그 이상을 의미합니다. 이것은 하나님의 궁극적인 능력과 승리를 선포하는 "전쟁의 외침"입니다.

예수 그리스도께서는 요한복음 10장 10절에서 다음과 같이 설명하셨습니다. "예수그리스도를 따르는 풍성한 새로운 삶을 우리에게 약속" 하셨습니다. 그리고 예수님의 약속은 단지 "그럭저럭 지나가는" 그런 경험을 의미하는 게 아닙니다. 영적인 승리를 위해 오늘의 말씀을 반복해서 읽어 보세요. 하나님 나라의 두나미스 활동이 여러분이 직면해 있는 문제, 도전, 실망, 변화를 극복할 수 있게 하실 것입니다.

하나님 나라의 두나미스 활동이 여러분이 직면해 있는 문제, 도전, 실망, 변화를 극복할 수 있게 하실 것입니다. 또한 우리의 두려움, 불안, 깨어짐, 낙담, 피로, 피곤을 이길 수 있음을 확증하며 외치십시오.

즉각적인 적용

여러분의 마음에 자주 떠오르는 믿음의 방패나 전쟁의 승리 외침을 표현하는 성경 구절이 있습니까? 이런 성경 구절이 떠오르면 작성해 주세요. 오늘의 성경 구절 (또는 다른 구절)을 생각하고 여기에 작성해 주세요.

오늘 나의 돌파기도

하나님! 두나미스의 능력과 기적의 하나님을 찬양하는 외침으로 저를 새롭게 변화시켜 주옵소서! 아멘.
자신만의 돌파 기도를 작성해 주세요.

기도 - 붙잡기 (오늘 하루 기도하기)

나라와 권세가 아버지께 있습니다...

우리가 믿음을 통해서만 이해할 수 있는 영적인 현실과 세계가 있습니다.
성령께서 우리가 완전히 다른 영적 수준을 이해할 수 있게 도와주십니다.
- 렌 윌슨(Len Wilson)

넷째 주

성령: 우리의 태도

22일차: 부끄러워하지 마세요

"내가 복음을 부끄러워하지 아니하노니 이 복음은
모든 믿는 자에게 구원을 주시는 하나님의 능력이 됨이라
먼저는 유대인에게요. 그리고 헬라인에게로다"
(로마서 1:16)

통찰력

4주 차 주제는 "영적 태도"를 갖는 방법을 설명하고 있습니다. "영적 태도"는 여러분을 통해서 일하시는 성령의 능력을 위한 그릇을 만들 수 있도록 최상의 능력을 행하실 것입니다. 우리는 먼저 담대함으로 "영적 자세"부터 시작합니다.

크리스천 투데이(Christianity Today)에 따르면, 나이지리아는 예수를 믿고 따르기에 세계에서 가장 위험한 상위 15개 국가 중 하나입니다. 2020년 성탄절 전날, 이슬람 테러리스트들이 나이지리아의 작은 마을을 습격했습니다.

기독교 목사인 불루스 이쿠라(Bulus Yikura)가 납치되었습니다. 이쿠라 목사는 두 달 동안 구금되었습니다. 테러리스트들은 몸값을 요구하였고, 그들은 몸값을 지불하지 않으면 처형하겠다고 발표했습니다. 이런 위협적인 이야기는 빠르게 세계 언론

매체를 통해 퍼졌습니다.

테러리스트들이 인질 영상을 만들었을 때, 이쿠라 목사가 카메라에 등장해 예수 그리스도의 간증을 나누는 기회로 삼았습니다. 예정된 처형을 불과 몇 시간 앞두고, 기적적으로 이쿠라 목사는 풀려나 감사하게 가족의 품으로 돌아왔습니다.

이쿠라 목사는 간증 중에 사도 바울이 전한 말씀을 강조하였습니다. 이쿠라 목사는 "복음의 능력(두나미스)은 모든 믿는 사람에게 구원을 주기 때문에 복음을 부끄러워하지 않았습니다." 라고 고백했습니다.

재판을 기다리는 동안, 바울은 로마서와 신약성경의 대부분 편지를 썼습니다. 종국에 바울은 사형수로 교도소에 수감되었습니다. 바울과 이쿠라 목사는 하나님의 능력을 알고 깊이 경험했습니다. 하나님의 능력은 그들이 죽음을 맞이하는 순간에도 주님의 초자연적인 은혜로 담대히 복음을 전하도록 도왔습니다.

예수 그리스도를 따르는 여러분에게도 동일한 성령의 능력의 임재가 있음을 기억하십시오! 복음을 부끄러워하지 마십시오! 여러분이 다른 사람들과 하나님 이야기를 솔직하게 나누는 것을 두려워하지 마십시오! 그리고 용기 있는 믿음의 발걸음을 내딛는 것을 두려워할 필요가 없습니다.

부끄러워하지 않은 믿음의 간증과 돌파 기도는 영향력이 있습니다. 이 영향력은 시간이 지남에 따라, 구속과 치유, 희망이 필요한 삶의 영역까지 확장됩니다. 여러분이 경험하는 것보다 훨씬 더 많은 것이 성령의 역사에 의해서 나타납니다.

즉각적인 적용

주변 사람들 (친구, 가족, 이웃 등)이 여러분의 믿음과 기도로 변화를 불러온다는 사실을 알고 있습니까? 만약 그렇다면, 하나님께서 여러분을 어떻게 인도하시고 공급하셨는지, 그리고 기도 응답에 대한 이야기를 주변 사람들과 공유하셨습니까? 믿음 안에서 신앙 생활하는 성도와 교회만 출석하는 교인과는 차이가 있습니다. 여기에 적용을 작성해 주세요.

오늘 나의 돌파기도

하나님, 제가 이웃들에게 예수그리스도의 믿음을 간증하게 하여 주옵소서! 그리고 저의 기도에 대한 주님의 응답을 담대히 전하게 하옵소서! 제가 복음을 전하는 데, 주저하지 않도록 성령의 담대함을 주소서. 아멘.
자신만의 돌파 기도를 작성해 보세요.

기도 - 붙잡기 (오늘 하루 기도하기)

복음이 부끄럽지 않습니다...

해결 1: 나는 하나님을 위해 살겠습니다.
해결 2: 아무도 하지 않더라도 나는 계속할 것입니다.
- 조나단 에드워즈(Jonathan Edward)

23일차: 섬기는 자 와 자원봉사자

"이 복음을 위하여 그의 능력이 역사하시는 대로 내게 주신 하나님의 은혜의 선물을 따라 내가 일꾼이 되었노라."

(에베소서 3:7)

통찰력

사도 바울은 바울 서신에서 반복해서 자신을 종(servant)이라고 불렀습니다. 그리고 바울은 예수그리스도의 종으로서 자신이 수행하는 사명이 인간의 힘이 아니라, 하나님께서 역사하시는 두나미스(능력)를 통해서 이뤄진다고 분명히 하였습니다.

오늘 본문에서 "종(servant)"으로 번역된 헬라어는 바울 시대에 주인의 명령과 소망을 실천하는 사람을 가리켰습니다. 바울은 그가 가장 위대한 주인을 섬긴다는 것을 고백했습니다. 이러한 이유로 바울은 예수그리스도의 명령에 따라 모든 시간과 자원을 복음을 나누고 전파하는 일에 힘썼습니다. 바울은 개인적으로 자기의 편리한 시간이 될 때마다, 종교적 봉사를 위해서 그 자신의 시간을 기부하는 행동을 하지 않았습니다. 대신에 바울은 자기 안에 가득 찬 두나미스 부활 능력을 항상 모든 시간과 사역 가운데 섬기었습니다. 그리고 바울이 가진 모든 것으로 섬겼습니다.

영적인 성숙은 예수 그리스도의 복음을 위한 종이 된다는 것을 의미합니다. 바울의 동일한 변화는 필연적으로 예수 그리스도를 섬기며 따르는 여정이었습니다. 우리가 이웃을 돕거나, 음식과 의복을 제공해 주거나, 가족을 위해서 집을 짓거나, 수리하는 일을 돕는 봉사를 할 때 기분이 좋습니다. 교회에서 안내 봉사자로 한 시간 일찍 오거나, 예배 중에 성가대로 찬양을 부르는 것은 기분을 좋게 합니다.

하지만 예수 그리스도를 따르는 자의 참된 정체성과 방향은 우리가 가지고 있는 모든 것으로 하늘에 계신 하나님께 기쁨으로 드리는 것입니다. 기꺼이 여러분들이 기뻐하며 평생 예수의 종이 되는 것입니다. 여러분들이 힘들다고 생각하는 것도 성령의 능력으로 풀어가 실 것입니다.

하나님께서 여러분을 하나님 나라의 사역을 위한 일에 집중하게 하여 결국 탈진되고, 가정생활을 소홀히 하고, 자기 관리가 안 되고, 매일 경건한 기도 시간을 그만두도록 하실까봐 두려워서 주저하고 있습니까?

하나님이 예수 안에 있는 당신에게 새로운 사명을 허락하십니다. 여러분은 선한 청지기임을 깨닫고, 성령의 능력을 받아들이십시오! 그리하면 여러분은 성령의 능력에 기초하여 강건한 종 (servant)의 정체성을 갖고 여러분의 삶의 모든 영역에서 사랑으로 예수 그리스도에 우선순위를 두고 행하게 될 것입니다. 성령의 능력은 평화, 풍성함, 사랑의 아름다운 모습으로 주님을 섬기도록 부르실 것입니다.

즉각적인 적용

섬기는 자와 자원봉사자의 차이점을 고려하여 현재 여러분은 정확하게 어떤 모습으로 서 있습니까? 아니면 이 둘 사이에서 여러분은 고민하십니까? 그렇다면 구체적으로 고민의 내용을 생각해 보세요! 그리고 여기에 작성해 주세요.

오늘 나의 돌파기도

하나님, 주님을 위해 두나미스의 종이 될 수 있도록 저의 이기적인 마음을 제거해 주세요. 아멘.
아래에 직접 돌파 기도를 작성해 주세요.

기도 – 붙잡기 (오늘 하루 기도하기)

섬기게 하는 하나님의 능력...

우리가 모든 것을 즐겁고 기쁘게 하나님께 드릴 수 있는 길은 하나님께서 먼저 우리에게 주신 모든 은혜에 감사하는 마음이 가득차는 것입니다.
– 켄트 밀라드(Kent Millard)

24일차: 전투 준비

"끝으로 너희가 주 안에서와 그 힘의 능력(두나미스)으로
강건하여지고 마귀의 간계를 능히 대적하기 위하여
하나님의 전신 갑주를 입으라.
우리의 씨름은 혈과 육을 상대하는 것이 아니요
통치자들과 권세들과 이 어둠의 세상 주관자들과
하늘에 있는 악의 영들을 상대함이라"
(에베소서 6:10~12)

통찰력

만약 여러분이 군대에 복무한 적이 있다면, 모든 훈련은 신병이 적극적인 전투 배치의 경험과 상관없이, 전투를 준비해야 합니다. 군사 교관의 사명은 민간인을 해병대, 공군, 육군, 해군, 우주 가이디언, 또는 해안 경비대원 등 전투를 할 수 있도록 준비시키는 것입니다. 이것은 단지 9~12주간의 신병 훈련소만으로 달성하기 어렵습니다. 하지만 전투 의지가 있고, 준비가 되어 있으며, 그 과정에서 신병들은 변화를 경험할 것입니다. 신병들은 훈련을 통해서 전투 준비가 완료될 것입니다.

바울은 믿음이 성장하기를 바라는 그리스도인들에게 오늘의

성경 메시지를 기록하였습니다. 바울은 영적 전투 준비에 대한 이미지를 사용하고 있습니다. 바울이 강조하고 있는 싸움은 "마귀의 책략"과 맞서 싸우는 것이었습니다. 예수님께서 마귀를 거짓의 아버지라고 불렀습니다. 또한 마귀를 우리의 원수라고 불렀습니다. 성경에서 사탄과 마귀는 우리 주변에 가득하다고 하였습니다. 그리고 마귀는 우리를 대적하는 "어두움의 세력"을 주관하는 악한 자로 설명하고 있습니다.

마귀의 목표는 그리스도인들이 예수님을 따르지 못하도록 제지하고, 낙심시키고, 유혹하고, 궁극적으로 멸망의 길로 끌고 가는 것입니다. 그래서 바울은 그리스도인들에게 "깨어 있어야 한다"는 것을 강조하였습니다.

그리고 두려움, 걱정, 분산됨이라는 마귀의 전술을 막기 위해서 "하나님의 전신 갑주를 입고" 예수님을 따르는 데 계속 초점을 두는 것입니다. 여러분의 준비와 격려를 위해서, 에베소서 6장 10~17절, "하나님의 갑옷"에 대한 바울의 설명을 읽어 보십시오.

영적 전투 경험 속에서 여러분 뒤에서 악한 자가 에워싸고 있는 경험을 한 적이 있습니까? 여전히 우리는 영적 전투로 인하여 피로와 피곤을 경험할 수도 있습니다.

에베소서 6장, 바울의 메시지에서 이미지는 우리가 영적 전쟁에 나가는 군인들과 같다고 설명하고 있습니다. 승리를 얻는 유일한 길은 주님의 강력한 두나미스 능력 안에 굳건히 서는 것입니다. 하나님께 영적으로 굳건함을 간구하고, 승리를 주시는 하나님의 영인 성령의 두나미스에 계속 순종해 나가십시오.

즉각적인 적용

예수님은 영적으로 전투 준비를 하셨습니다. 우리도 그렇게 할 수 있습니다. 에베소서 6장 10~17절을 주의 깊게 읽어 보십시오. 하나님의 전신갑주 중 어떤 부분을 믿음으로 붙잡고 집중해야 합니까? 여기에 작성해 주세요.

오늘 나의 돌파기도

하나님, 예수님을 따르는 저의 모습과 태도를 고쳐주시옵소서. 성령의 두나미스가 영적 전투 준비를 잘 갖추도록 도와주시옵소서. 모든 영적 훈련에 참여할 수 있는 간절한 마음을 주시길 기도합니다. 아멘.

자신만의 돌파 기도를 작성해 보세요.

기도 - 붙잡기 (오늘 하루 기도하기)

주님 안에서 강건해 지십시오...

우리가 예수의 군대가 되어 하나님의 말씀을 수용하는 한,
우리는 확신을 가지고 미래를 바라볼 수 있습니다.
- 디트리히 본회퍼(Dietrich Bonhoeffer)

25일차: 경주 준비

"그의 영광의 힘을 따라 모든 능력으로 능하게 하시며,
기쁨으로 모든 견딤과 오래 참음에 이르게 하시고"
(골로새서 1:11)

통찰력

가이드북 6일 차의 초점은 "기다리기 훈련"이었습니다. 오늘 본문은 바울이 골로새 교회의 성도들에게 쓴 기도문입니다. 바울의 기도에 강조점은 골로새 교회 성도들이 인내하는 마음과 의지를 가지라는 것입니다. 또한 성도들에게 강력한 힘을 얻기 위해서 성령의 두나미스를 구하라는 것이었습니다. 바울은 골로새 성도들의 "인내"를 위해 기도했습니다. 헬라어 원어에서 인내는 "꾸준함과 지속 함"을 의미합니다.

경주를 위해서 훈련을 받은 적이 있습니까? 여러분이 직접 경주했든 관중이었든 간에, 경쟁자와 경주할 때, 속도를 유지하려면 준비와 훈련에 집중해야 합니다. 경기 당일의 경쟁에서 누가 훈련을 준비하지 않았는가 분명하게 나타납니다. 준비된 경주자도 잘 훈련된 "보조를 맞추어 뛰는 사람(pacer)"과 함께

달리려고 노력하는 경우가 많습니다. 왜냐하면 다른 사람과 꾸준히 페이스를 맞추면, 자기 능력을 최대한 발휘하는 데 도움이 되기 때문입니다.

히브리서 12장 1~2절은 영적 경주에 대하여 설명하고 있습니다. "이러므로 우리에게 구름 같이 둘러싼 허다한 증인들이 있으니 모든 무거운 것과 얽매이기 쉬운 죄를 벗어 버리고 인내로써 우리 앞에 당한 경주를 하며, 믿음의 주요 또 온전하게 하시는 이인 예수를 바라보자, 그는 그 앞에 있는 기쁨을 위하여 십자가를 참으사 부끄러움을 개의치 아니하시더니 하나님 보좌 우편에 앉으셨느니라"

인내심을 갖고, 하나님의 초자연적인 두나미스를 의지하여 준비 갖출 때, 목표로 정해진 경주나 길을 달릴 수 있습니다. 우리는 감사하게 항상 함께 뛰시는 예수님을 바라볼 수 있습니다.

즉각적인 적용

여러분은 “하나님 은혜의 보조를 맞추어” 영적 경주를 해야 한다는 말을 들어본 적이 있습니까? 이 말을 곰곰이 생각해 보시면 이 말씀은 여러분에게 어떤 의미와 격려를 주고 있습니까?
여기에 작성해 주세요.

오늘 나의 돌파기도

하나님, 제 안에 있는 훈련의 부족함을 긍휼히 여겨주옵소서!
영적 인내를 지속시키는 새로운 능력과 의지를 허락해 주시옵소서. 아멘.
자신만의 돌파 기도를 작성해 보세요.

기도 – 붙잡기 (오늘 하루 기도하기)

하나님의 두나미스의 오래 참음과 인내...

기도가 힘든 것이 아니라, 우리의 게으름을 극복하는 것이 어렵습니다.
– 오스왈드 챔버스(Oswald Chambers)

26일차: 나의 연약함

"나에게 이르시기를 내 은혜가 네게 족하도다
이는 내 능력(두나미스)이 약한 데서 온전하여짐이라 하신지라
그러므로 도리어 크게 기뻐함으로
나의 여러 약한 것들에 대하여 자랑하나니
이는 그리스도의 능력(두나미스)이 나에게 머물게 하려 함이라.
그러므로 내가 그리스도를 위하여
약한 것들과 능욕과 궁핍과 박해와 곤고를 기뻐하노니
이는 내가 약한 그 때에 강함이라"
(고린도후서 12:9~10)

통찰력

허드슨 테일러(Hudson Taylor)는 영국 개신교 선교사이며, 중국 내지선교부의 창립자입니다. 그는 21세에 하나님의 부르심을 받았습니다. 복음의 기쁜 소식을 알지 못하고, 예수님을 믿지 않는 나라와 사람들을 향하여 하나님의 부르심에 순종하였습니다. 사도 바울처럼 허드슨 테일러도 지속적인 기도를 최우선으로 삼았습니다. 모든 상황과 필요를 돌파하는 두나미스의 능력을 발휘하시도록 성령님께 구하였습니다.

허드슨 테일러가 중국에서 51년을 사역한 후, 1905년에 세상을 떠났을 때, 허드슨 테일러는 18,000명을 예수 믿는 신자로 회심시켰습니다. 그리고 중국 전역에 중국 내지선교부 소속 800명의 선교사가 활동하였습니다.

이 감동적인 선교사역은 반복되는 질병과 신체적 연약함, 재앙, 재난, 사별, 거절, 주기적인 재정적 자원 부족, 동료 부족, 직원 부족 등 수많은 어려움 속에서 풍성한 생활과 사역이 이루어졌습니다. 어려움 속에서도 어떻게 이런 선교의 효과와 열매가 가능했을까요?

허드슨 테일러는 한 친구에게 이렇게 말했습니다. "자기의 가장 큰 영적인 축복은 다양한 질병이 찾아와 경험했던 신체적 쇠약과 연약함을 통하여 직접적으로 영적인 열매를 맺게 되었다."고 고백하였습니다.

오늘의 본문 고린도후서 12:9~10절을 다시 자세히 읽고, 바울의 메시지를 묵상해 보세요. 어떤 모습과 방식이든 간에 인간은 연약해질 수 있습니다. 하나님은 우리 연약함을 초자연적인 능력이 작용하는 장소로 사용하셔서, 여러분의 연약함을 강하게 하십니다.

고난의 상황은 하나님의 능력이 여러분을 통해서 특별한 일을 행할 기회입니다. 이제 바울과 허드슨 테일러처럼, 여러분이 직면할 수 있는 어려움이나 도전에 대해 생각해 보십시오.

그리고 그것을 장애물로 생각하지 마시고, 어려움과 고난 그리고 우리의 연약함이 하나님의 두나미스 능력으로 영적인 축복을 받는 때와 장소로 여기시길 바랍니다.

즉각적인 적용

여러분은 어떤 부분에서 가장 연약하거나 부족하다고 생각하십니까? 이것을 하나님께 고백하시고, 여러분 스스로 관리하는 것보다 더욱 행하시고, 일하고, 성취할 수 있는 성령의 두나미스 능력을 구하십시오. 여기에 적용한 것을 작성해 주세요.

오늘 나의 돌파기도

하나님, 저의 낙심과 실망의 모습에서 주님의 부활에 힘과 능력이 빛날 수 있는 관점으로 볼 수 있게 하옵소서. 아멘.
자신만의 돌파 기도를 작성해 보세요.

기도 - 붙잡기 (오늘 하루 기도하기)

내가 약한 곳에서, 하나님은 강하십니다.

성령께서는 우리가 직면하는 문제와 우리 가운데 스며든 어둠과 관계없이 교회와 세상 가운데 항상 역사하십니다.
- 피트 벨리니(Pete Bellini)

27일차: 소망을 품는 능력

"소망의 하나님이 모든 기쁨과 평강을 믿음 안에서 너희에게 충만하게 하사 성령의 능력으로 소망이 넘치게 하시기를 원하노라" (로마서 15:13)

통찰력

그리스도인 가운데도 자신도 모르게 '마음의 결핍(정신적 결핍)'을 갖게 되는 경우가 있습니다. 여러분이 그것을 알기도 전에 무엇을 놓쳤는지 여러분이나 다른 사람들이 해결할 방법이 절대 충분하지 않은 것에 대해서 항상 비판하는 습관을 지닐 수 있습니다. 하나님이 여러분의 요청대로 충분히 공급하지 않으시고, 행동하지 않으셨다고 다른 사람들에 게 지속해서 불평하기 시작할 때, 마음의 결핍이 우리 신앙생활에 찾아올 수 있습니다.

결국, 영적으로 부족한 마음의 상태는 전능자의 능력에 대하여 우리 믿음에 부정적인 영향을 미치게 됩니다. 그래서 우리의 믿음이 절망적으로 종종 느껴지게 됩니다. 그러면 우리의 절망감은 주변 사람들의 믿음에 영향을 미치고, 부정적인 생각을 만들어 냅니다.

오늘 본문에서 바울은 그의 삶과 사역에 나타난 성령의 두나미스 능력의 관대함에 실제적인 진리를 설명하고 있습니다. 바울은 안전을 위협하고, 식량, 지원, 관계성, 재정이 부족한 어려운 상황 속에서도 기적적으로 하나님의 풍성함을 경험했습니다. 바울에게는 영적 결핍이 없습니다. 대신에, 바울은 소망과 기대의 하나님이 우리를 기쁨과 평강으로 가득 채울 수 있다고 설명하고 있습니다.

하나님의 공급하심을 확신을 두고 신뢰하십시오. 바울은 성령의 두나미스를 통해서 우리가 하나님을 신뢰한 결과, 소망의 능력이 넘치게 될 것이라고 확신했습니다. 두나미스 소망의 힘은 넘치게 흘러나와 우리의 말과 행동을 통해서 우리 주변의 모든 것과 사람에게 영향을 미칠 것입니다. 소망은 우리의 충만함에서 오는 것이 아닙니다. 오히려 우리가 구하고, 생각하고, 상상할 수 있는 것보다 항상 더 많이 주시는 하나님께서 우리에게 허락하십니다. 예수 그리스도의 거룩한 목적을 위하여 가장 중요한 것을 공급하실 것이라는 믿음과 기대를 통해서 찾아오십니다.

즉각적인 적용

여러분은 마음의 결핍과 소망의 마음 중 어느 쪽에 가깝습니까?
여기에 작성해 주세요.

오늘 나의 돌파기도

하나님, 우리가 축복을 구하는 이기적인 욕망과 마음을 깨뜨려 주옵소서. 주님의 풍성한 공급의 소망과 기대가 넘치도록 채워주옵소서. 아멘.
자신만의 돌파 기도를 작성해 보세요.

기도 - 붙잡기 (오늘 하루 기도하기)

소망이 넘칩니다...

환난의 골짜기를 소망의 문으로 바꿀 수 있는 분은 오직 하나님뿐입니다.
- 캐서린 마샬(Catherine Marshall)

28일차: 지속성 (Sustenance)

"이는 하나님이 영광의 광채시요 그 본체의 형상이시라 그의 능력의
말씀으로 만물을 붙드시며, 죄를 정결하게 하는 일을 하시고,
높은 곳에 계신 지극히 크신 이의 우편에 앉으셨느니라"
(히브리서 1:3)

통찰력

소셜 미디어는 신생아의 축하 사진이 게시되는 전형적인 장소입니다. 종종 아빠, 엄마 또는 다른 친척과 "닮았음"이 라는 소소한 뉴스는 댓글과 함께 게시됩니다. 여러분은 부모 중 한 명과 닮았다는 말을 들어 본 적이 있습니까? 아니면 여러분의 자녀 중 한 명이 여러분과 똑같다는 말을 들어 본 적이 있습니까?

히브리서의 저자는 오늘의 성경에서 "아들은... (하나님의) 존재의 정확한 표현이니라"고 설명합니다. 이것은 동일한 접근 방식을 취했습니다. 원래 헬라어 기록대로, 영어의 번역 "정확한 표현(exact representation)"이라는 단어는 그 당시 정확한 이미지를 조각하거나 찍거나 판화 하는 것을 설명할 때 자주 사용되었습니다. 히브리서 저자는 예수 그리스도의 자녀는 아버지 하나님과 유사하다는 사실을 설명하고 있습니다. 예수그리스도의 새

생명이 우리 안에 거한다면, 우리는 예수그리스도의 유업을 이어받는 것입니다.

우리가 기도에 순종하면, 하나님의 두나미스는 예수 그리스도를 닮지 않은 행동, 우선순위, 우리의 생각을 변화시키고, 성숙시키어 우리가 하나님의 광채로 빛날 수 있도록 역사하십니다. 이것이 바로 믿음의 여정입니다.

오늘의 성경 말씀을 다시 보십시오. 우리가 피곤하거나 낙심하고 불확실하다고 생각하는 순간에 확신을 주는 말씀을 하고 계십니다. 여러분의 영적 성장이 계속되고, “지속적인 유지(지속성)”가 되는 것은 성령의 두나미스 능력을 통해서입니다.

원래 사용된 헬라어 단어 “지속성(Sustained)”은 영어로 “지탱하다, 짐을 지다, 전진한다”로 번역되기도 합니다. 여러분이 무능력하거나 불가능하다고 느낄 때, 성령의 두나미스는 여러분이 상상할 수 있는 것 그 이상으로 우리를 붙들어주고 유지해 주십니다. 그리고 우리를 통해서 일하고 계십니다. 이것은 예수 그리스도 안에 있는 가족 DNA의 기적적인 모습입니다.

28일간의 돌파기도 여정을 마치면서 매일 기도의 실천을 계속하시기를 바랍니다.

- 성경을 읽고 묵상하고,
- 새로운 가능성과 영적 성장의 문을 열어 달라고 하나님께 기도하고,
- 순종과 변화의 대담한 도전을 하시고, 그리고
- . 예수 그리스도의 아가페 사랑에 힘입어 다른 사람들을 섬기며

그리고 가장 좋은 영역은 무엇일까요?

여러분이 기도의 실천을 계속해 나가십시오. 성령의 능력 (두나미스)이 성도들에게 공급되어 예수님을 닮은 모습으로 점점 변화될 것입니다.

여러분 안에서 예수 그리스도를 닮아가는 것은 형식적인 모방이 아니라 내주함(inhabitation)으로 빛이 날 것입니다.
성령의 두나미스 능력이 여러분에게 가득히 거하게 하옵소서!

즉각적인 적용

예수님을 닮아 성장해 가려는 갈망으로 가득 채워주시옵소서. 지금까지 우리가 실천했던 것보다 더 하나님과 교제를 위해서 갖추어야 할 것이 무엇입니까?
여기에 작성해 주세요.

오늘 나의 돌파기도

하나님! 두나미스 성령을 환영하고 성령 충만한 모습으로 저를 새롭게 채워주소서. 아멘.
자신만의 돌파 기도를 작성해 보세요.

기도 - 붙잡기 (오늘 하루 기도하기)

하나님은 나의 지속자이십니다.

기독교의 영적 형성은 단지 성경 말씀을 내면화하는 문제가 아닙니다.
참된 영적 형성이 이루어지기 위해서는, 성령의 능력을 통해서
우리가 예수 그리스도를 더욱 깊이 만나야 합니다.
- 데이비드 왓슨(David Watson)

기도의 여정을 계속 하세요

성령께서 어떻게 28일의 여정 가운데 더 풍성한 삶을 주셨는지 경험하셨습니다.

축하드립니다!

그러나 돌파 기도의 28일간의 실험은 끝이 아닙니다. 그것은 단지 시작일 뿐입니다.

- 실제 생활과 영적 생활의 모든 측면에서 활동하는 하나님의 부활 능력을 인식하고 순종하면서 예수 그리스도를 따르는 새로운 시즌을 시작하십시오!

- 성령의 활동과 인도하심을, 계속해서 발전할 수 있도록 성령과 더 깊은 개인적 교제를 시작하십시오!

- 여러분의 실천 (또는 강화)에서 하나님과 매일 대화에 돌파 기도를 추가하세요. 성령의 두나미스의 "역동성 (dynamite)"이 여러분과 상황을 변화시키실 것입니다.

- 매일 성경에 나오는 기도 - 붙잡기를 포함하여 새로운 기도 습관 가지기 바랍니다. 우리의 소망과 문제에만 집중하는 것이 아니라, 영적으로 전능하신 하나님께 집중하십시오!

그리고 지금, 일상의 묵상과 돌파기도를 기록한 "역동적인 능력기도(Dyanmite Prayer)" 가이드북이 여러분의 평생 기도 안내서가 될 수 있습니다.

예를 들어, 기도가 필요하다고 느낄 때마다, 내용의 목차로 되돌아가서 돌파 기도를 하고, 기도를 붙잡고 묵상할 수 있습니다. 그리고 하나님 지혜의 능력과 다시 연결할 수 있습니다.

또한 여러분이 필요한 것이 무엇이든, 봉사의 방법이 무엇이든 다시 집중할 수 있습니다.

dynamiteprayer.com에서 더 깊고 의미 있는 기도 생활을 위한 많은 자료, 이야기, 아이디어를 확인할 수 있습니다. 다른 사람들과 공유하고, 영감을 주기 위해서 하나님의 기적적인 역사에 대한 여러분의 이야기를 게시하세요!

그리고 궁금한 것이 있으면, 언제든지 저희에게 연락 주세요! 우리는 여러분을 위해 기도하고 있습니다. 여러분의 기도 제목을 주시면, 여러분과 함께 기도하고 싶습니다.

로자리오 피카르도 (rpicardo@united.edu)
수 닐슨 키비 (snkibbey@united.edu)

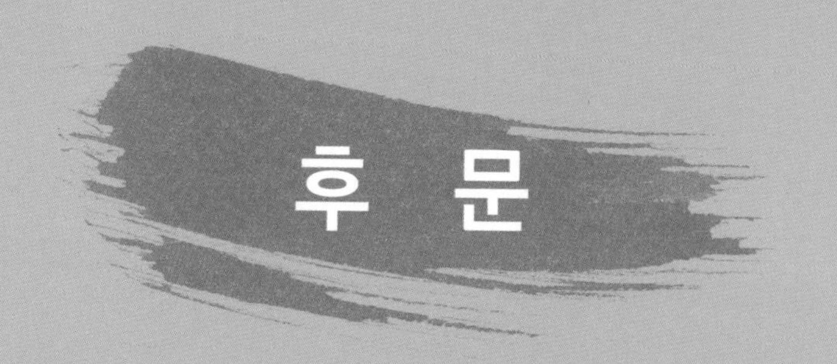

후 문

가이드북 서문에서 Rosario Picardo 박사는 Sue Nilson Kibbey 목사가 이끄는 *United Theological Seminary*의 돌파기도 비전 수련회를 설명하였다. 수(Sue) 목사는 모든 수련회 참가자에게 2020년 2월 수양회 전 6주 동안, 매일 다음과 같은 돌파 기도를 하도록 격려했고 "돌파를 만드시는 기적의 하나님, 성령의 영이 연합신학대학원을 위해서 어디로 가야 할지 말씀해 주시고, 보여주시고, 영감을 주옵소서." "예수의 이름으로 창의성, 신실함, 그리고 풍성한 새로운 시즌의 문을 열어주옵소서! 그리고 우리 공동체가 함께 주님이 여시는 문을 경험할 수 있도록 담대함, 용기와 끝없는 능력을 주시옵소서. 예수 그리스도의 이름으로 기도합니다. 아멘"

이사, 교직원, 학생, 동문 및 직원 등 약 90명이 수련회 전에 매일 기도하도록 격려하였다. 기본적으로, 우리는 성령을 통해서 이 기도가 우리 개인적으로 원하는 것이 아니라, 하나님께 우리 연합신학대학원 공동체의 미래에 원하시는 것이 무엇인지 깨닫게 해달라고 하나님께 간구하였다.

"내 뜻대로 마옵시고 아버지의 뜻대로 하옵소서."

그리고 하나님은 그 획기적인 돌파기도에 계속해서 신실하게 응답하셨다. 수련회를 통해서 나온 생각과 아이디어 중 하나는 하나님께서 신앙의 기초한 조직의 필요를 충족시키는 연합신학대학원 교육프로그램을 위해 다른 신앙의 기관들과 파트너십을 맺을 수 있는 새로운 문을 열어주셨다.

하나님은 우리의 기도에 신실하게 응답하셨다.

"나의 뜻이 아니라 아버지의 뜻이 이루어지이다" 2020년 수련회 이후, 하나님께서는 우리의 특수한 상황의 필요에 응답하는 "연구의 집"(House of Study)를 개발하도록 영감을 주셨다.

새로운 표현들에 대한 연구의 집(Fresh Expressions House of Study), 다인종 회중을 위한 모자이크 연구의 집(Mosaix House of Study), 모든 수업이 스페인어로 진행되는 히스패닉 연구의 집(Hispanic House of Study), 오순절 운동 연구의 집(Pentecostal House of Study), 글로벌 웨슬리안 연구의 집(Global wesleyan House of Study), 한국어 연구의 집 (Korean House of Study) 계획하게 하셨다.

하나님께서는 수(Sue) 목사의 혁신적인 리더십 아래서 연합신학대학원 (United Theological Seminary)에 브루스 오(Bruce Ough)혁신센터를 설립할 수 있도록 새로운 문을 열어주셨다.
브루스 혁신센터를 통해서 우리는 수(Sue) 목사가 이끄는 미국 전역에 여러 교단의 목회자들과 성도들에게 영적 갱신의 경험을 제공하고 있다.

연합신학대학원은 2021년 10월에 150주년 기념일을 맞이하였다. 그동안 우리가 빚(debt)에서 자유로워질 수 있도록 기도해 왔다. 마지막 하나님의 선물은 2021년 여름에 찾아왔다. 연합신학대학원 건물과 시설에 대한 400만 달러의 주택담보대출을 전부 갚을 수 있었다. 하나님께 감사를 드린다.

더욱이, 하나님께서는 연합신학대학원 학생들을 위한 예상치 못한 장학금 선물로 풍성히 새로운 문을 열어주셨다.

우리가 알지 못하는 익명의 재단에서 우수한 학생들을 위한 전액 혹은 절반을 주는 학장 장학금 100만 달러를 제공하겠다는 제안을 받았다. 나중에 익명의 재단은 연합신학 대학원 창립 150주년을 기념하여, 200만 달러의 장학금을 선물로 제공하였다. 이 장학금은 2022학년도에 졸업하는 모든 학생들의 등록금과 교육비 부채를 줄이기 위해 사용되었다. 각 학생들에게 $2만 달러씩 지정되었다. 2022학년도 졸업하는 약 100명의 졸업생 중 30%가 빚 없이 졸업하였다.

하나님은 우리에게 신실하시다. 계속해서 새로운 신입생들과 재학생들이 등록금과 교육비 부채가 없이 졸업할 수 있도록 필요한 장학금 지원으로 우리를 축복하셨다.

종종 우리는 원하는 것에 초점을 맞추고, 그것을 우리에게 주시기를 하나님께 기도한다. 그러나 획기적인 돌파 기도는 우리 자신을 하나님의 손에 맡기고, 신뢰하며, 예수님처럼 기도하는 것이다. "나의 뜻대로가 아니라 아버지의 뜻대로 일이 이루어지이다." 그리고 하나님께서 우리가 예상할 수 없었던 방식으로, 우리를 미래로 인도하실 것이다. 하나님께 진심으로 감사드린다.

2022년 1월
은혜와 평화, 켄트 밀라드(Kent Milliard)박사
연합신학대학원 총장, 데이톤 오하이오

기도 생활의 장애물을 허물고,
기적적인 새로운 가능성을 발견하십시오.

역동적인 능력기도(Dynamite Prayer)는 성령의 능력에 힘입어 하나님께 새로운 문을 열고 새로운 가능성을 만들어 달라는 기도입니다. 능력기도 방식은 "돌파기도"의 실천을 시작하는 방법을 안내합니다. 28일간의 실험은 여러분의 우선순위와 생각을 내려놓고, 하나님께서 여러분의 삶에서 가져오시는 기적을 용기 있게 따르게 하십니다. 여러분이 순종하면 막히고, 압도되고, 영감이 없는 감정에서 소망과 기대로 바뀌게 될 것입니다.

매일 이렇게 하십시오!

- 성령의 역동적인 능력의 역사가 오늘 당신 생활 전반에서 어떻게 작용하는지를 이해하는 데, 도움이 되는 성경 구절에 대해 간단한 묵상을 하십시오!
- 오늘의 묵상에 대한 질문을 작성해 보세요.
- 오늘의 짧은 돌파 기도를 작성해 보세요.
- 매일 돌파 기도를 하는 데 도움이 되는 기도와 관련된 단어나 문구를 묵상하세요.

성령과 함께하는
역동적인 능력기도
28일간의 여정

초판 1쇄 발행 2023년 10월 15일
2쇄 발행 2023년 12월 20일

지은이 | 로자리오 피카도 · 수 닐슨 키비
옮긴이 | 전석재
편 집 | 최득원 · 손애경
인쇄처 | 영상복음
발행인 | 전성인
발행처 | The Forest Books
등 록 | 제2022-000029호
주 소 | 인천시 연수구 랜드마크로 19, 109동 1305호
전 화 | (대표) 010-5090-4792 (역자) 010-2113-4792
메 일 | eliotjeon4792@gmail.com (대표)
jeon0262@naver.com (역자)

ISBN 979-11-984668-0-8

* 책값은 뒤표지에 있습니다.